英文履歴書のカバーレター
Resume Cover Letter

寺澤　惠

税務経理協会

はじめに

　本書は『英文履歴書ハンドブック』と『英文履歴書文例集』（ともに税経理協会発行）の続編です。

　『英文履歴書ハンドブック』は英文履歴書についての日本で初めての解説書で，全国学校図書館協議会選定図書に選ばれているロングセラーです。同書は1997年に中国語に翻訳して出版され，近く韓国語でも出版されます。『英文履歴書文例集』の中国語訳も1999年に刊行されました。

　本書『英文履歴書のカバーレター』は，英文履歴書につけて送る，英文履歴書と同様またはそれ以上に重要な cover letter（以下カバーレター）について解説し，その全体の文例と，それを構成する各部の文例を数多く紹介しています。

　求職者は通常，英文履歴書の作成には，相当の努力をしますが，求職先に自己紹介をして自分を売り込むという重要な役割をもつ，カバーレターの作成に同様な神経をつかう人は必ずしも多くありません。これは求職活動での盲点です。

　1998年末に私は，「英文履歴書コンサルタント *Resume Pro* レジュメ プロ」のウエブページ[注]を開設して以来，英文履歴書／職務経歴書とカバーレター／添え状のコンサルティング・作成代行サービスを行っています。しかし，英文履歴書と共に，最初からカバーレターのサービスを希望された方は約半数に過ぎません。

（注）http://member.nifty.ne.jp/resume　http://plaza10.mbn.or.jp/~resume

カバーレターは次のように，求職活動で極めて重要な書類です。（このことは，職務経歴書につけて送る添え状についても同様です）

- まず，ビジネス・マナーの点から，英文履歴書を送る際は，必ずカバーレターをつけるべきである。
- 次に，求職先が最初に見るのは通常，英文履歴書よりもカバーレターなので，カバーレターの優劣は，求職先の第一印象に大きく響く。

採用担当者はカバーレターから，求職者についての一般的な求職資格のほかに，次のような重要な要素を読みとることが可能です。

- 問題意識・意欲
- 文章表現能力や整理能力
- 優先度とキー・ポイントの設定能力
- 事務遂行のスタイル
- 知性・性格

このようにカバーレターの内容と構成は，求職活動で極めて大切な役割をもちます。したがって求職者は，カバーレターの作成に，十分な時間と労力をさくべきです。

『英文履歴書ハンドブック』で私は，20％のページをカバーレターにあてました。また「英文履歴書コンサルタント」のウエブページでも「カバーレター（英文）／添え状に活かす情報」と「カバーレター（英文）／添え状 FAQ」のページを設けています。

しかし，カバーレターに対する一般の認識はまだ十分とは言えません。そこで，カバーレターの重要性を求職者が理解され，魅力的で効果的な文書を作れるように，カバーレターについて詳しく解説するとともに，多くの文例を参考として提供するために，本書を刊行することにしました。

第1部では，カバーレターについて解説しています。まずカバーレターの重要性などについて述べ，望ましいレイアウトを示して，カバーレター作成のための情報の収集方法や，情報の組み立て方，などについて説明しています。

　第2部では，カバーレター全文の構成をご理解いただくために，「英文履歴書コンサルタント Resume Pro レジュメ プロ」で実際に作成した，カバーレターの本文の全体を，クライアントのご快諾のもとに載せています。（社名に仮名を使うなど，多少の修正を加えました。）

　第3部では，書き出し，中間部，結び，それぞれの文例を提供しています。特に中間部の文例では，参照と活用に便利なように，パラグラフを構成するセンテンスを中心にして，各種の職種や職能などに関連する表現を多数載せています。

　これらの文例を参考に，センテンスを作り，パラグラフにまとめ，それらのパラグラフを組み合わせて全体を構成しますと，効果的なカバーレターを作れます。

　なお，本書の第1部の解説と，第2部，第3部の文例の，和文の部分は，職務経歴書につけて送る添え状の作成にも役立ちます。

　本書を活用して，魅力的で迫力あるカバーレター/添え状を作られ，求職活動に成功されることを心からお祈りいたします。

2000年7月7日

寺澤　惠

目　　次

はじめに

第1部　カバーレターの解説

第1章　解説のアウトライン　　3
1　カバーレターとは　　3
2　カバーレターの機能　　4
3　カバーレターの重要性　　4
4　お粗末なカバーレター　　5
5　効果的なカバーレター　　6

第2章　カバーレターのフォーマット　　7
1　フォーマットの重要性　　7
2　適切なフォーマット　　7

第3章　カバーレターの構成要素とその書き方　　9
1　返信用アドレス　　9
2　日　　付　　10
3　宛　　名　　11
4　件　　名　　12
5　拝　　啓　　12
6　本　　文　　12

	7	敬　　　具 ……………………………………………	13
	8	署名・姓名 ………………………………………………	14
	9	同封物表示 ………………………………………………	14

第4章　お粗末なカバーレター ……………………………… 15

	1	全体の見栄えがよくない …………………………………	15
	2	必要な大文字が使われていない …………………………	15
	3	句読点の使い方が間違っている …………………………	16
	4	スペルが間違っている ……………………………………	16
	5	文法的な誤りがある ………………………………………	16
	6	組織だっていない …………………………………………	16
	7	焦点が定まっていない ……………………………………	17
	8	求職先の視点で書かれていない …………………………	17
	9	内容がお座なりである ……………………………………	17
	10	誇張している ………………………………………………	17
	11	厚かましい …………………………………………………	18
	12	卑下している ………………………………………………	18

第5章　カバーレターから外す事項 …………………………… 19

	1	退 職 理 由 …………………………………………………	19
	2	失職期間の説明 ……………………………………………	19
	3	過去の転職理由 ……………………………………………	19
	4	経 験 不 足 …………………………………………………	20
	5	学 歴 不 足 …………………………………………………	20
	6	報　　　酬 …………………………………………………	21

第6章 効果的なカバーレター……………………………… 23
1 効果的なカバーレターの特徴……………………………… 23
2 効果的なカバーレターを作るには………………………… 23
① 求職先の視点から考える……………………………… 23
② 求職先のニーズと関心事項に的を絞る……………… 24
③ ネットワーキングを活用する………………………… 25
④ 宛先を工夫する………………………………………… 26

第7章 効果的なカバーレターの構成……………………… 29
1 書き出し―注意をひき希望職種を示す…………………… 29
① 個人的関係を使う……………………………………… 29
② 知識・情報を使う……………………………………… 30
③ 賛辞を使う……………………………………………… 30
2 中間部―求職資格を売り込む……………………………… 31
① 価値をアピールして興味をひく……………………… 31
② 面接の願望をひきだす………………………………… 33
③ 箇条書き式と叙述式…………………………………… 33
④ 資格の比較方法………………………………………… 34
⑤ 英文履歴書の参照……………………………………… 35
3 結び―面接につなぎ，謝意を述べる……………………… 35
① 面接につなげる………………………………………… 35
② 謝意を述べる…………………………………………… 35

第8章 カバーレターの作成準備…………………………… 37
1 希望職種の分析……………………………………………… 38
2 自己分析……………………………………………………… 38

①	職　　　　歴	39
②	学　　　　歴	39
③	研　　　　修	40
3	資格の比較検討	40

第9章　広告に応じるカバーレター … 43
1　求人広告の分析 … 44
2　求人広告の強調点 … 45
3　重要な構成要素 … 45
　① 広告の参照 … 46
　② 資格の比較 … 46
4　応募資格と自分の資格との対比 … 46
　① 一対一での資格の比較 … 46
　② みたしている資格のみの比較 … 46

第10章　ダイレクト・メール方式のカバーレター … 47
1　業績のアピール … 47
2　資質のアピール … 48
3　重要な構成要素 … 49
　① 宛　　　　先 … 49
　② 求　職　資　格 … 49

第11章　その他のカバーレター … 51
1　紹介による場合のカバーレター … 51
2　就職斡旋会社宛てのカバーレター … 51
　① 希望職種と就職斡旋依頼 … 52

② 資格の要約 ････････････････････････････････････ 52
　　③ 連絡方法と謝辞 ････････････････････････････････ 52

第12章　カバーレター発送時の注意 ･････････････････････ 53
　1　発送前のチェック ･･･････････････････････････････ 53
　　① 体　　裁 ････････････････････････････････････ 53
　　② 内　　容 ････････････････････････････････････ 53
　　③ 書 き 方 ････････････････････････････････････ 54
　2　封　　　筒 ････････････････････････････････････ 54
　3　送るタイミング ････････････････････････････････ 56

第2部　カバーレター全体の文例

■　Auto Mechanic ･･････････････････････････････････ 60
　　オート・メカニック ････････････････････････････ 61
■　Cabin Attendant ･････････････････････････････････ 62
　　キャビン・アテンダント ････････････････････････ 63
■　General Affairs Staff ･･････････････････････････････ 64
　　ジェネラル・アフェアーズ・スタッフ ･･････････････ 65
■　Hardware Engineer ･･･････････････････････････････ 66
　　ハードウエア・エンジニア ･･････････････････････ 67
■　Management Consultant ･･･････････････････････････ 68
　　マネジメント・コンサルタント ･･･････････････････ 69
■　Mechanical Design Engineer ･･･････････････････････ 70
　　メカニカル・デザイン・エンジニア ････････････････ 71
■　Research Associate ･･･････････････････････････････ 72

リサーチ・アソシエーツ ……………………………… 73
■　Software Engineer ……………………………………… 74
　　　ソフトウエア・エンジニア …………………………… 75
■　Sushi Chain Manager …………………………………… 76
　　　すしチェーン・マネジャー …………………………… 77
■　System Specialist ………………………………………… 78
　　　システム・スペシャリスト …………………………… 79
■　Technical Support Manager …………………………… 80
　　　テクニカル・サポート・マネジャー ………………… 81
■　Telesales Representative ……………………………… 82
　　　テレセールス・レプレゼンタティブ ………………… 83

第3部　カバーレター各部の文例

第1章　書き出しの文例 ……………………………… 87
　1　広告に応募する ………………………………………… 87
　2　紹介により求職する …………………………………… 89
　3　ダイレクト・メール方式で求職する ………………… 90
　4　電話で照会してから求職する ………………………… 92
　5　知識・情報などで始める ……………………………… 93
　6　賛辞で始める …………………………………………… 93

第2章　中間部の文例 ………………………………… 95
　1　中間部の書き方 ………………………………………… 95
　　①　箇条書きの導入 …………………………………… 96
　　②　一対一での資格の比較 …………………………… 96

③　英文履歴書の参照 ······················· 97
　2　文例の種類と表示形式 ······················· 98
　3　希望職種の関連 ····························· 98
　　● アート・ディレクター ······················· 98
　　● アカウンティング・マネジャー ··············· 99
　　● アカウント・マネジャー ····················· 100
　　● イベント・コーディネーター ················· 100
　　● オフィス・アドミニストレーター ············· 100
　　● クレジット・マネジャー ····················· 101
　　● コピー・ライター ··························· 101
　　● コンサルタント ····························· 102
　　● コントローラー ····························· 103
　　● コンピュータ・スペシャリスト ··············· 104
　　● セールス・エンジニア ······················· 105
　　● セールス・マネジャー ······················· 105
　　● ゼネラル・マネジャー ······················· 106
　　● 秘　　　書 ································· 109
　　● プロジェクト・マネジャー ··················· 111
　　● プロダクト・マネジャー ····················· 113
　　● 放送・通信エンジニア ······················· 113
　　● マーケティング・マネジャー ················· 114
　　● メカニカル・エンジニア ····················· 115
　　● HR マネジャー ······························ 116
　　● MIS マネジャー ····························· 117
　　● PR マネジャー ······························ 118

4　職能の関連 …… 119
- 会　　計 …… 119
- 開　　発 …… 120
- カスタマー・サービス …… 120
- 原価管理 …… 121
- 購　　買 …… 122
- 在庫管理 …… 123
- 人　　事 …… 124
- 製　　造 …… 124
- セールス …… 126
- ゼネラル・マネジメント …… 126
- 組織開発 …… 128
- 品質管理 …… 129
- 調　　査 …… 131
- データベース・マネジメント …… 131
- テクニカル・サポート …… 132
- プロジェクト・マネジメント …… 132
- プロダクト・マネジメント …… 132
- マーケティング …… 133
- 労務管理 …… 135
- ロジスティクス …… 135
- M&A コンサルティング …… 136

5　スキルの関連 …… 137
- 語 学 力 …… 137
- コミュニケーション・スキル …… 137
- 対人関係スキル …… 138

● PCスキル･････････････････････････････140
　　　● その他のスキル･････････････････････････140
　　6　資質の関連･･････････････････････････････142
　　　● 総　　合･････････････････････････････142
　　　● 意　　欲･････････････････････････････144
　　　● 評　　価･････････････････････････････145
　　7　そ　の　他･･････････････････････････････146

第3章　結びの文例･････････････････････････････149
　　1　面接の希望を述べる･･･････････････････････149
　　2　求職先にアポイントの連絡をする･･･････････151
　　3　求職先からアポイントの連絡を待つ･････････152
　　4　秘密保持について依頼する･････････････････154
　　5　給料についての質問に応じる･･･････････････155
　　6　お礼の言葉を述べる･･･････････････････････155

あとがき･･･157

【図　　表】
　　カバーレターのフォーマット　･･････････････････8
　　封筒の表書きのフォーマット　･････････････････55

第1部

カバーレターの解説

第1部

カウンセラーの修練

第1章　解説のアウトライン

1　カバーレターとは

　本書でカバーレターというのは，英文履歴書^(注)を送る際に一緒に送る，英文のカバーレターのことで，便宜的に単にカバーレターと呼びます。

　米国でも，カバーレターのことを resume cover letter と呼ぶ場合と単に cover letter と呼ぶ場合とがあります。

　本書の執筆にあたっては，次の解説書を参考にしましたが，すべての本が，単に cover letter という表記を使っています。

　　The Perfect Cover Letter, John Wiley & Sons, Inc., 1989
　　175 High Impact Cover Letters, John Wiley & Sons, Inc., 1996
　　201 Killer Cover Letters, McGraw-Hill Companies, Inc., 1996
　　Cover Letters for Dummies, IDG Books Worldwide, Inc., 1996
　　Winning Cover Letters, John Wiley & Sons, Inc., 1997
　　Dynamic Cover Letters for New Graduates, Ten Speed Press, 1998

　ちなみに，最初に載せた，1989年に発行された The Perfect Cover Letter が，カバーレターを中心に扱った世界初の解説書です。このことは，カバーレターの重要性が大きく取り上げられたのは比較的新しい，ということを示します。

　(注) 英文履歴書のことを，米国系では resume （レジュメ）と呼び，英国系では curriculum vitae を略した cv または c.v. （シー・ヴィー）と呼びます。

2　カバーレターの機能

　カバーレターの機能を的確に理解することは，効果的なカバーレターを作るのに不可欠です。
　英文履歴書と一緒にカバーレターを送る目的は次のとおりです。
- 求職の経緯，および希望職種と求職意志とを述べる。
- 英文履歴書に書いた求職資格のキー・ポイントを，より詳しく，または補足して述べて，自分を売り込む。
- この求職者は役立ちそうだから面接してみよう，という気持を求職先にもってもらう。
- 同封した英文履歴書を，好意的な関心をもって求職先に読んでもらう。
- 面接の希望を述べて，アポイントの取り付けにつなげる。

3　カバーレターの重要性

カバーレターの重要性は次のとおりです。
- ビジネス・マナーの点から，英文履歴書には必ずカバーレターを添えて送るべきである。
- カバーレターは求職先と求職者との最初の接点になる。
- カバーレターは，英文履歴書のキー・ポイントを詳しく述べ，または追加情報を盛り込むものである。
- カバーレターがお粗末であれば，採用担当者が英文履歴書を見ることなしに，面接対象から外される。

- 英文履歴書の内容がいかに立派であっても，それを読んでくれなければ効果がない。
- 逆に，カバーレターが上手に作られていれば，求職先が興味と関心とをもって英文履歴書を読む。
- 場合によっては，英文履歴書を読むまでもなく，面接してみようとの気持を採用担当者がもつこともある。

このためにカバーレターは，英文履歴書と同等または，より重要な求職書類である，と言えます。

4 お粗末なカバーレター

カバーレターがお粗末ですと，求職先は同封の英文履歴書を読むまでもなく，その人物を面接候補者から外すでしょう。

その理由は次のとおりです。
- カバーレターの見栄えが悪ければ，求職者は仕事に対しても不注意で，だらしのない人物であろうと判断される。
- カバーレターの内容が冗長で，まとまりがなければ，求職者の性格もそのようなものであろうと推察される。
- どのような印象をカバーレターが相手にあたえるか，という点について関心が低いということは，求職者はあまりやる気がないということになる。

お粗末なカバーレターの詳細については第4章で述べます。

5　効果的なカバーレター

　カバーレターは通常，求職先が最初に見る書類です。すぐれたカバーレターは次のような効果をもちます。
- 　カバーレターが，整然として的が絞られ上手に書けていれば，求職者は周到で注意深く自分の仕事にプライドをもつ人物であろう，との印象を求職先にあたえる。
- 　そのようなカバーレターは，求職者は組織だった考え方ができ，戦略的で集中力があり結果志向の人物であろう，と求職先に思わせる。
- 　巧みに作られたカバーレターは，求職先のニーズに密接に関連づけられた，求職者の資格・適性の重要項目に焦点をあてる，という重要な機能を果たす。
- 　カバーレターがなければ求職先は，このような情報を英文履歴書から探しださねばならない。

　このようにカバーレターは，求職活動での極めて強力なセールス・ツールであり，英文履歴書と同等またはそれ以上の重要性をもちます。

　効果的なカバーレターについては第6章で詳しく述べます。

第2章　カバーレターのフォーマット

1　フォーマットの重要性

　カバーレターのフォーマットは次の点で重要です。
- 求職先に対して送るビジネス・レターなので，一定のフォーマットで作る必要がある。
- きれいなデザインとレイアウトは，カバーレターの見映えをよくし，見る人によい印象をあたえる。
- 整然とデザインされたフォーマットは，カバーレターの作者が几帳面な論理的思考にすぐれた求職者であろう，というプラスのイメージをあたえる。
- きちんと簡潔にまとめたフォーマットは，読みやすさを助け，カバーレターの内容が読まれ，記憶される確率を高める。
- すぐれたフォーマットは，資格の重要箇所に適切な焦点をあて，効果的に自分を売り込むのに役立つ。

2　適切なフォーマット

　カバーレターは原則として1ページに収めます。これはカバーレターについての，現在のビジネス慣習です。
　カバーレターに適切なフォーマットは，次ページに示す，ブロック・フォーマットと呼ばれるものです。

カバーレターのフォーマット

```
                           返信用アドレス xxxxxxxxxxxxxxx
                                        xxxxxxxxxxxxx
                                        xxxxxxxxxx

                              日付      xxxxxxxxx

xxxxxxxxxxxxxx       宛名
xxxxxxxxxxxxxxxxxxx
xxxxxxxxxx                    件名（自由）
xxxxxxxxxxxxxx


xxxxxxxxxxxx         拝啓
                              本文
xxxxxxxxxxxxxxxxxxxxxxxxxxxxxxxxxxxxxxxxxxxxxxxxxxxxxxxxxxxx
xxxxxxxxxxxxxxxxxxxxxxxxxxxxxxxxxxxxxxxxxxxxxxxxxxxxxxxxxxxx
xxxxxxxxxxxxxxxxxxxxxxxxxxxxxxxxxxxxx

xxxxxxxxxxxxxxxxxxxxxxxxxxxxxxxxxxxxxxxxxxxxxxxxxxxxxxxxxxxx
xxxxxxxxxxxxxxxxxxxxxxxxxxxxxxxxxxxxxxxxxxxxxxxxxxxxxxxxxxxx
xxxxxxxxxxxxxxxxxxxxxxxxxxxxxxxxxxxxxxxx

xxxxxxxxxxxxxxxxxxxxxxxxxxxxxxxxxxxxxxxxxxxxxxxxxxxxxxxxxxxx
xxxxxxxxxxxxxxxxxxxxxxxxxxxxxxxxxxxxxxxxxxxxxxxxxxxxxxxxxxxx
xxxxxxxxxxxxxxxxxxxxxxxxxxxxxxxxxxxxxxxxxxxxxx

xxxxxxxxxxxxxxxxxxxxxxxxxxxxxxxxxxxxxxxxxxxxxxxxxxxxxxxxxxxx
xxxxxxxxxxxxxxxxxxxxxxxxxxxxxxxxxxxxxxxxxxxxxxxxxxxx

                              敬具 xxxxxxxxxxxx


                              署名 xxxxxxxxxxxxxxxxx

                              姓名 xxxxxxxxxxxxxx

xxxxxxxxxx 同封物表示
```

第3章　カバーレターの構成要素とその書き方

　カバーレターの標準的な構成要素は，前ページに示したとおりで，図のレイアウトのように配置します。
　以下カバーレターの構成要素とその書き方について説明します。

1　返信用アドレス

　返信用アドレスは，求職先から返事をもらうのに必要な情報です。住所，電話番号，Eメール・アドレスなどを書きます。返信用アドレスの例は次のとおりです。

　　　　1-2-34, Akatsutumi

　　　　Setagaya-ku, Tokyo 156-0044

　　　　03-5376-xxxx　　　e-mail: xxx@xxx.xxxxx.xx.xx

　次に，返信用アドレス記載上の注意事項を列記します。

- 通常は自宅の住所にする。（会社の住所は避ける）
- 自分の姓名は，文末の署名の下か，返信用アドレスの一番上にタイプする。紙面が許せば両方にタイプしてもよい。
- 日本の住所記載の順番と逆の順番にする。つまり番地が最初で郵便番号が最後。
- 各行の書き出し（左の線）を揃える。
- それぞれの語（数字以外）は大文字で始める。
- 町名や市名の直後にカンマをつける。
- 各行の最後には句読点を打たない。

返信用アドレスの上部の余白は，全体のバランスを見て決めます。カバーレターの最後の構成要素である「同封物表示」の下部の余白までを含めて，上下の余白がほぼ均等になるようにします。

　返信用アドレスのなかでは，行間はあけません。

2　日　　付

　日付は，カバーレターを最終的に仕上げた日にします。（なお，カバーレターの日付の当日に発送するのが望ましいです）

　日付記載上の注意事項を列記します。

- 返信用アドレスの下に，通常1行あけて書く。文面が長く紙面に余裕がなければ，返信用アドレスの下に続けて書いてもよい。
- 書き出しの線を返信用アドレスの左の線に揃える。
- 書く順番は次のとおり。

　　　求職先が米系の場合（resume を要求している場合）

　　　　　July 15, 2000

　　　求職先が英系の場合（cv を要求している場合）

　　　　　15th July, 2000 または July 15th, 2000

　　　英米共通の書き方

　　　　　15 July 2000

（注）3ページに記載のとおり，英文履歴書のことを，米国系では resume レジュメと呼び，英国系では curriculum vitae を略した cv または c.v. シー・ヴィーと呼びます。

3　宛　　名

　宛名の記載方法は特に重要ですので，詳しく説明します。

　次のように，氏名・タイトル・部署名・社名・住所を，日本のビジネス・レターの逆順で書きます。

　　　Mr. Robert Mason
　　　Manager, Product Development Department
　　　Acme Japan, Inc.
　　　2-7-8, Marunouchi, Chiyoda-ku, Tokyo 100-0005

　氏名は正式のフル・ネームを書き，敬称をつけます。男性にはMr.を使います。女性の場合は，Miss と Mrs.とがありますが，未婚・既婚を区別しない，Ms.を使うようにお勧めします。

　氏名・タイトルが分からない場合は，電話で照会するなどの努力が望まれます。それでも分からない場合には，5で述べる方式をとります。

　氏名に続いてタイトルを書きます。タイトルが長ければ，次の行に書き，短ければ，氏名と同じ行で，氏名のすぐ後にカンマを入れ，1字あけて書きます。

　氏名・タイトルの下に部署名を書きます。

　タイトルも部署名も，各語の最初の字は大文字にします。

　次に正式社名を書きます。社名の英文表記については，各社のホーム・ページなどで調べて，正しい表記を使いましょう。

　社名の各語は，通常，大文字で始めます。

　社名の下に住所を書きます。町名や市名の後はカンマで区切り，1字あけますが，行末にはカンマは要りません。

4　件　　名

　必要に応じて，希望職種名や求人広告名を書きます。件名を書くかどうかは自由です。

5　拝　　啓

　宛名の下に1～2行あけて，拝啓にあたる挨拶を書きます。
　個人名が分かっている場合は次のように書きます。
　姓だけを使い，その後に米国式ではコロン(:)を，英国式ではカンマ(,)をつけます。

米国式	英国式
Dear Mr. Peterson:	Dear Mr. Sykes,
Dear Ms. Smith:	Dear Ms. Hall,

　個人名が分からぬ場合は，男女共用で次のように書く方法がありますが，なるべく個人名を調べて，その人宛てにするのが望ましいです。

米国式	英国式
Dear Recruiter:	Dear Recruiter,
Dear Recruit Manager:	Dear Recruit Manager,

6　本　　文

　拝啓にあたる挨拶の下に，1～2行あけて本文を書きます。
　本文は，次のようなパラグラフで構成されます。

- 書き出し－内容を読んでもらうように「注意」をひく。
- 中間部－求職資格をアピールして，求職先に「興味」をいだいてもらい，面接しようとの「願望」をもってもらう。
- 結び－面接という「行動」につなげ，謝意を述べる。

このパラグラフの構成は，セールス・レターの望ましい構成要素とされている，次の4要素（A, I, D, A）にそっています。

Attention	読んでみようとの「注意」をひく。
Interest	役立ちそうだとの「興味」をいだいてもらう。
Desire	面接しようとの「願望」をもってもらう。
Action	面接に向けての「行動」を起こしてもらう。

このなかで，中間部の「興味」と「願望」についての要素の区別は必ずしも明確ではありません。要するに，「この人物は面白そうだ，一度会ってみよう」との気持をもってもらうような内容を，効果的に盛り込めばよいのです。

中間部のパラグラフの数は，内容によって1～3になります。

各パラグラフの間は1行あけます。

読みやすくするために中間部では，パラグラフのなかで箇条書きスタイルを使う場合も多いです。

本文の内容は，カバーレターの最も重要な部分ですので，第6章以降で詳述します。

7　敬　　具

敬具にあたる結びの挨拶を本文の下に1～2行あけて書きます。いろいろな言い方がありますが，無難なのは次のとおりです。

米国式	英国式
Sincerely,	Yours sincerely,
Sincerely yours,	Yours faithfully,

2語目は小文字で始めます。後にカンマをつけるのが原則です。

8　署名・姓名

　上記の敬具にあたる挨拶の1〜2行下に，敬具の左の線に頭を揃えて署名し，その下に姓名をタイプします。名（ファースト・ネーム）を先に，姓（ラスト・ネーム）を後にします。

　姓名をタイプする位置は，最上部の，返信用アドレスの上でもかまいません。また，紙面に余裕があれば，この2ヶ所にタイプしてもかまいません。

9　同封物表示

　カバーレターは英文履歴書を同封するものですから，そのことを示すために，署名またはタイプした姓名の下に，紙面の余裕があれば1行あけて，左端から次のように書きます。

Enclosure:　　　　（同封物が英文履歴書だけの場合）
Enclosures:　　　（同封物が複数の場合）

第4章　お粗末なカバーレター

次のような問題点をもつカバーレターは，お粗末です。

1　全体の見栄えがよくない

第一印象がまずい。具体的には次のような点があげられます。
- ビジネス・レターのフォーマットを使っていない。（カバーレターはビジネス・レターの一種なので，そのフォーマットにそっていないとマイナス）
- 宛名などの構成要素や，パラグラフの間に行間を空けていない。（フォーマットの点からも問題だが，とにかく読みにくい）
- バランスがとれていない。（見た感じが悪い）
- 情報の詰め込み過ぎ。（ぎっしりと詰まって白地が少ないと，圧迫感をあたえて，読む気を損なう）
- ボールペンなどでの訂正箇所がある。（全くお粗末）

このようなカバーレターは，求職者が不注意で，いい加減な人物であることを示すもので，採用担当者は通常，このようなカバーレターを読もうとはしないでしょう。

2　必要な大文字が使われていない

- 各センテンスの最初の文字は大文字が原則。
- 社名などの固有名詞も，各語の最初の文字は大文字が原則。

3　句読点の使い方が間違っている

- 句読点の後は1字空ける。
- 各センテンスの最後にはピリオッドを打つ。
- コロン(:)は，as follows: のように，次に続く項目やリストなどを紹介する場合などに使う。
- セミコロン(;)は，カンマ(,)よりも強い区切りに使う。

4　スペルが間違っている

- 特に宛名のスペルのミスは非常にまずい。
- ワープロ・ソフトのスペルチェックを使うと、かなり効果的。

5　文法的な誤りがある

- 単数・複数や，動詞の時制（現在形・過去形など）のような，基本的な文法上のミスがないように注意する。
- 意味が分からないとか，意味が誤って伝わるような文法的ミスは特にまずい。

6　組織だっていない

- 内容を，まとまりなく，だらだらと書くのはまずい。（考えを整理して簡潔に書く）

7　焦点が定まっていない

- 件名を書かない場合，最初のパラグラフに希望職種を書かないのは，先方の注意をひくのが遅れてまずい。
- 職種を書かずに，求職したい，とだけ書くと，目的が不明確で志望意志が固まっていない，との好ましくない印象をあたえる。
- 希望職種のポイントが絞られず，ピントの合っていない内容はまずい。

8　求職先の視点で書かれていない

- 自分が求職している理由や，やりたい仕事など，自分の都合を中心に述べるのはまずい。
- 求職先が求める応募資格に関連して，自分がどのような価値を提供できるか，という視点から書くのが原則。

9　内容がお座なりである

- 英文履歴書を読めば分かってもらえるようなことを，だらだらと書くのはまずい。

10　誇張している

- 自分の価値を強調するのはよいが，誇張するのはまずい。嘘をつくのは問題外。

- 業績・長所・特質をアピールするにも一定の限度内にすべきで，さもないと信頼性を問われる。

11　厚かましい

- 厚かましく押しつけがましいのは，求職先に不快感をあたえてマイナス。

12　卑下している

- 逆に，資格を充たしていないのを謝ったりして，謙遜がすぎるのは，卑屈な感じをあたえてまずい。

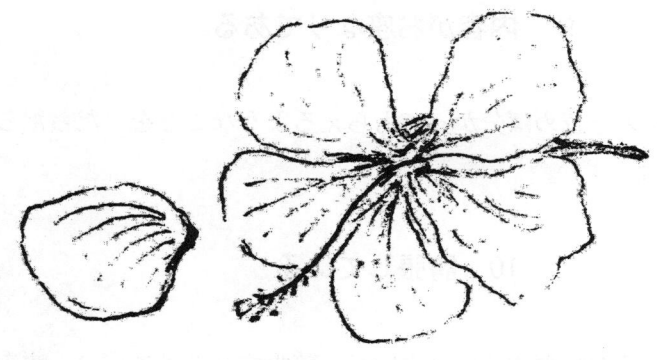

第5章　カバーレターから外す事項

　自分にとって不利な情報は，一切カバーレターに含める必要はありません。カバーレターの貴重な紙面は，自分をアピールすることに使うべきです。

1　退職理由

　産業構造の変革にともない，最近は多くの有能な人材が退職しています。リストラなどの会社都合による退職の場合でも，特に理由を書く必要はありません。

　退職の理由については，面接の際に説明できます。

2　失職期間の説明

　プラスになるような情報がないかぎり，失職期間についての説明を書くと，求職先の余分な注意をひくのでまずいです。

　退職理由と同じく，この説明も面接の際にできます。

3　過去の転職理由

　ベターな条件を求めての転職にしても，雇用者側にはあまり好ましいものではないので，外しましょう。

なお，転職の事実は英文履歴書に書きますが，転職が多い場合は，職歴を年代順に並べる形式の英文履歴書ではなく，業績とスキルに焦点をあてる，職能別の英文履歴書にする方がベターです。

4　経験不足

応募資格として求められている経験が足りなくても，そのことをカバーレターで指摘する必要はありません。

カバーレターは，自分の弱みではなく強みを書くべきものです。経験不足の事実を書いて面接のチャンスをつぶすのではなく，求職先に貢献できる，自分のスキル，可能性，志望，やる気を強調すべきです。

経験不足の場合は，スキルと可能性に焦点をあてやすい，職能別の英文履歴書を使い，それをカバーレターで補完する方が効果的です。

5　学歴不足

職種によっては，MBAや理系の学位を資格要件としますが，これらの資格をもたないことをカバーレターに書く必要はありません。その理由は次のとおりです。

- 学歴が不足していることを書けば，他の資格を検討することなく，それだけで面接候補者から外されるリスクがある。マイナスになる点は書くべきではない。
- カバーレターでは，希望職種の関連で十分な実績があり，そこで身につけた知識・経験を，新しいポジションで効果的に活用し

て，同様な成果をあげて求職先に貢献できる，ということを，強くアピールすべきである。
- 知識は正規の教育以外でも習得できる。職場での実地経験は貴重な教育である。重要なことは知識を活かすことであり，正規の教育も実際に活かされなければ意味がない。
- 知識・経験・能力・実績が十分であれば，学歴が不足していても面接候補になり得る。
- なお学歴不足の場合，英文履歴書では学歴を終わりの方に書き，研修などで補強する。

6　報　　　酬

　現在は満足できるポジションにいるが，ベターな職があれば転職してもよい，といった恵まれた立場にないかぎり，報酬についてはふれない方がいいです。限られた紙面は，自分の資格・価値を売り込むのに使うのが賢明です。
　応募の条件として報酬を書くように求められた場合は，次の2つの対応があります。
- 大体の見当を書く。そうすれば一応条件はみたし，交渉の余地を残すことができる。
- 報酬については面接の際に話し合いたい，と書く。

第6章 効果的なカバーレター

1 効果的なカバーレターの特徴

求職先に好感をあたえるカバーレターは，次のような特徴をもっています。
- 書き出しのパラグラフに求職先の注意をひく工夫をして，希望職種と志望の意志を盛り込んでいる。
- 中間のパラグラフで，求職先に付加価値をもたらす資格のセールス・ポイントを記載し，それを裏づける職歴・業績・学歴などの要約を述べている。
- 結びのパラグラフで，面接のアポイントの取りつけにつなげ，感謝の意思を述べている。

2 効果的なカバーレターを作るには

効果的なカバーレターを作るための方策は次のとおりです。

① 求職先の視点から考える

求職先に面接しようという気持になってもらうようなカバーレターを作るには，どのようなカバーレターが効果的か，ということをまず理解しなければなりません。

効果的なカバーレターの構想と構成を考えるためには，次の諸点について考えることが大切です。
- 求職先は，どのような視点からカバーレターを読むか？

- 求職先が求職者についての判断の手がかりとして求める要素は何か？
- 求職先の関心と興味をひき，面接の願望を抱かせる要素は何か？

この場合に基本的なことは，特定の職務を果たす即戦力を求職先は求めている，ということです。カバーレターの作成にあたっては，このような求職先の視点に焦点をあてることが肝要です。

② 求職先のニーズと関心事項に的を絞る

一般にセールス成功の鍵は，顧客の関心に応え，そのニーズをみたすことです。顧客の関心事項は何か？何を求めているのか？優先事項は何か？特別なニーズは何か？を把握することが大切です。

このことは，自分という商品をセールスする求職にもあてはまります。求職先の関心とニーズとについての調査は絶対に必要です。十分な事前調査は，それにふさわしい効果を生みます。

セールス・ツールとしてのカバーレターの効果を高めるのに肝要なことは，求職先のニーズについての入念な事前調査です。

求職先が特定できていない場合は，希望職種に関連する業界について調査します。

求職先または希望業界について調査をするためのガイドラインは次のとおりです。（この調査には，求職先のホーム・ページ，雑誌，新聞などの資料を参考にされるとよいでしょう）

- 求職先または希望業界の現状はどうか？
- この現状は，他社または他の業界と比較してどうか？
- 求職先または希望業界が当面している重要問題は何か？
- これらの重要問題を解決するにあたっての障害は何か？

- これらの障害に対処するのに必要な知識・スキル・能力は何か？
- 求職先の戦略目標は何か？
- この戦略目標達成のために必要な変革は何か？
- この変革を実現するために必要な知識・スキル・能力は何か？
- 業界で現在進行中の変化や，今後のトレンドは何か？
- この変化やトレンドに対応するために必要な，知識・スキル・能力は何か？

　このような調査にもとづき，求職先または希望業界の具体的問題点や戦略目標などを把握して，ニーズに対応した自分の知識・スキル・能力に焦点をあてて構成すると，的を射たカバーレターが作れ，面接のチャンスが大きく高まります。

③　ネットワーキングを活用する

　求職先または希望業界のニーズについて調べるには，これらの事情に詳しい個人（家族，親戚，友人，知人）に聴く方法もあります。

　しかし，それよりも望ましいのは，求職先の内部または希望業界の人に聴くことです。なかでも求職先の内部の人に聴くのが最も効果的です。そのような人を直接に知らなければ，友人・知人から，適当な人を紹介してもらえないか検討しましょう。

　企業は，付加価値をもたらす人材，すなわち重要問題を解決し，戦略目標を達成するのに役立つ人材を求めています。

　求職先・希望業界についての調査の結果をカバーレターに活かすことによって，競争者よりも有利な立場にたち，面接のアポイントをつかむチャンスを高めることができます。

　調査事項は次のとおりです。

- 自分の希望職種の関連で求人をしているか？

- 希望職種の関連部門（人事部門を希望する場合は別として，人事部門ではなく実際に求人している部門）で採用を決める責任者は誰か？
- この責任者が求める資格（知識，スキル，経験など）は何か？
- この責任者が現在取り組もうとしている問題や関心事は何か？
- その問題や関心事に対処するために求められるスキル・能力・経験は何か？
- この責任者が意図する戦略的変革は何か？
- その変革を遂行するために必要とされる資格・特性は何か？

このようにして得た情報は，効果的なカバーレター作成のために役立ちます。それは，求職先の最大関心事とニーズに的を絞った自分の求職資格を強調することによって，有効に自分をアピールできるからです。

④ 宛先を工夫する

カバーレターと英文履歴書とは人事部宛てに送られることが一般的ですが，人事部門は通常，カバーレターに対しては，あまり注意を払えないようです。その理由は次のとおりです。

- 一般的に言えば，特に注意して見なければならないような内容をもつカバーレターは少ない。
- 人事部門は短時間に多数の求職書類を処理せねばならず，英文履歴書に目を通すのが精一杯で，カバーレターを注意して読む時間的余裕は少ない。
- 求人部門の要求する条件と英文履歴書に記載された経歴・資格とを比較すれば，一応の用は足せる。

しかし，一定の地位にある人物の個人名がカバーレターに記載されている場合は，人事部門もそれなりの注意を払います。（それは自己防衛本能のある組織人としては無理からぬことです）

　求職先の事情に詳しく求職先が一目置くような人の名前をカバーレターの書き出しに載せると，担当者の注意をひき，効果的です。

　カバーレターと英文履歴書は，事情が許す限り，希望職種の関連部門（例えば国際事業部とか研究開発部などで，以下，単に関連部門と呼びます）のなかで，自分より2段階くらい上位の，採用決定権をもつ，特定の幹部職員宛てに出すのが望ましいです。その理由は次のとおりです。

- 人事部門では現在求人の必要がある案件しか一般的には分からないのに対して，関連部門では，近い将来の求人の必要性を認識しており，そのために，より注意して求職書類を読む。
- 人事部門が当面の求人条件と求職者の応募資格との比較を重視するのに対して，関連部門では，現在当面している問題の解決策，組織改善案や，新たに現れつつあるビジネス概念やトレンドについての理解をもつ人物を求めているので，それだけ詳しく求職書類を読む。
- 1段階上位の人は，社内での昇進競争関係上，あまりにも身近なので，2段階くらい上位の人に出す方が，より公正な判断が期待できる。

　広告に応募する際は，指定された宛先（通常は人事部）に送るのに加えて，希望職種の関連部門の適当な人にも出すと，一層効果的です。

第7章　効果的なカバーレターの構成

1　書き出し－注意をひき希望職種を示す

　書き出しの目的は，求職先の注意をひいて内容を読んでもらい，希望職種と求職意思とを明確に表明することです。
　したがって，最初のパラグラフでは，希望職種を含む志望意志を述べます。それによって，相手にカバーレターの意図を示し，希望職種についての資格を注意して読んでもらえます。このことはまた，あなたの考えが整理されていて，的が絞られており，ビジネス・ライクであることも示します。
　希望職種についての表現は，的は絞りながらも，限定的でなく，多少広めにする方が求職のチャンスを増やせます。
　求職先の注意をひくには，それなりの内容をもった書き出しにすべきです。
　個々の求職先の希望職種に向けてカスタマイズし，担当者に読んでみようという気持をもってもらうためには，広告に応募する場合は別として，次のようなテクニックがあります。

- 　一定の地位にある人との個人的関係を使う。
- 　求職先についての特定の知識・情報を使う。
- 　求職先についての納得のいく賛辞を使う。

①　個人的関係を使う

　上記のなかで，個人的関係を使うのが最も効果的です。というのは，特定の人との関係のある求職者からのカバーレターは，人情と

して，一般のカバーレターよりも注意して読むからです。（このようなコネがない場合は，何らかの方法で新たにコネを作るという手段もありましょう）

② 知識・情報を使う

　個人的関係を使えない場合は，求職先についての特定の情報・知識を活かしましょう。これによって競争者と差別化して有利な立場に立つことができます。求職先としては，会社について特別の知識をもつ求職者や，会社について時間と手間をかけて調べた求職者のカバーレターは，一般のカバーレターよりも，より注意深く読みます。

③ 賛辞を使う

　求職先に関連した適当な賛辞を述べる方法も効果的です。人は誰でも，的確な賛辞をあたえてくれた人には好感をもちます。したがって，そのような求職者のカバーレターは好意的に読みます。しかしながら，誠意のこもっていない賛辞は逆効果です。とってつけたような賛辞は使うべきではありません。

　①から③のテクニックの2つまたは3つを組み合わせて使うと，更に効果的です。

2　中間部―求職資格を売り込む

中間部では自分の求職資格を具体的，効果的に売り込みます。

①　価値をアピールして興味をひく

中間部のパラグラフでは，求職先に対する自分の価値を売り込み，求職先の興味をひくような内容を書きます。

このパラグラフでは，今までの職場などでの具体的な実績，貢献の内容を書き，求職先においても同様な寄与ができる自信があると書くか，相手にそのように推測してもらえるように書きます。

求職先が最も知りたいのは，求職者が即戦力になるかどうかです。そのための判断の参考として，同一か類似の職務分野での実績を示すと効果的です。

ここで大切なことは，求職先の視点から見て重要と思われる実績を書くことです。自分が誇りに思っている業績でも，求職先が求める分野での成果でなければ，さほど効果的ではありません。

商品のセールスで肝要なことは，顧客が求める商品の特徴（品質・価格・操作性・デザインなど）を強調することです。

自分のセールス・ポイントを求職者がカバーレターに書く際も同様で，求職先が必要とする分野で自分は価値があり，求職先に貢献できる，ということを述べる必要があります。

そのためには，求職先が求めるものは何か，を理解しなければなりません。そこで考えるべき点は次のとおりです。

- 求職先が解決しようとしている重要問題は何か？
- 類似する問題を自分は解決したか？その内容は？

- 求職先の長期戦略は何か？
- これらの戦略目標を達成するにあたっての問題点は何か？
- それに類似する問題を自分は解決したことがあるか？その内容は？
- どのような方策または技術を求職先は使おうとしているか？その目的は何か？
- そのような方策または技術を自分は使ったことがあるか？その成果はどうであったか？

　自分の価値を売り込むのに効果的なパラグラフを書くためには，求職先の内部事情に詳しい人に聴くのが望ましいです。そのようにして得た情報のもとづいて，求職先に特有なニーズに的を絞った，より効果的な文章を書くことができます。

　具体的な求職先が決まっていない場合は，希望職種が求められている業界について，次のような調査をするといいです。

- その業界が当面している重要問題は何か？
- その問題解決のために必要な知識・スキルは何か？
- その業界の企業が追求している主な変化は何か？
- これらの変化を起こすために必要な新知識は何か？
- このような問題を解決し，望ましい変化をおこすために必要な特定の知識，スキル，能力を自分はもっているか？
- これらについての自分の包括的な能力を実証するための業績や貢献度は何か？

　この調査の結果として判明する業界のニーズは，その業界内の大部分の企業が抱えているニーズを反映するものですから，そのニーズに焦点をあてた具体的な内容を考える参考になります。

求職先の真のニーズを把握し，それに的を絞って自分の価値を具体的に売り込めば，効果的なカバーレターを作れます。

② 面接の願望をひきだす

自分の価値を裏づけるために，希望職種に関連のある大学での専攻分野や，業務に関連のある職歴の要約，特記事項などを書きます。

その目的は，業務に必要とされる学歴と職歴をもっている適切な求職者であることを示し，面接して見ようとの願望を求職先にもってもらうことです。

ここでは便宜的に，「①価値をアピールして興味をひく」と「②面接の願望をひきだす」に分けていますが，その区別は必ずしも明確ではありません。要は，自分のセールス・ポイントと，それを裏づける材料や事例を記述し，求職先の興味をひいて，面接してみようとの願望をもってもらうのが目的ですので，それに適した内容を盛り込めばいいのです。

③ 箇条書き式と叙述式

中間部の書き方には大きく分けて，パラグラフ内での箇条書き方式と，パラグラフ全体を叙述式に書く方式とがあります。

箇条書き方式は，文章が短いので文面を作りやすく，読む人も内容を把握しやすい，というメリットがあります。

箇条書き方式の場合は，最初に次のような表現を使います。

- Highlights of my experience include:
    資格のハイライトには次のようなものがあります。

箇条書きの各項目の記述には，次のような名詞節形式と，主語 (I) や，主語 (I) と be 動詞を省略した叙述形式などが使われます。

- 名詞節形式

    Recognition as a leading expert in the broadcast area.

    放送分野一流のエキスパートとしての認知。

- 主語 I の省略

    Continuously study the latest technological innovations, advancements, and equipment development.

    技術革新，進歩，および機器の開発について，たえず勉強しています。

- 主語（I）と be 動詞の省略

    Skilled at time management, planning, and prioritizing projects.

    時間管理，企画，およびプロジェクト優先順位設定に習熟しています。

- 通常の叙述式

    I increased sales 60% by upgrading service efficiency resulting in a 30% annual increase in profitability.

    サービス効率向上により売上を60％拡大，その結果，年間収益率が30％増進しました。

叙述式については説明不要と思いますが，文章が長くなると読む人に内容が分かりにくくなるので，短いセンテンスに分けるのが望ましいです。

④ 資格の比較方法

カバーレターで，求職先が求めている応募資格と，自分が提供できる資格とを対比しますと，あなたの適格性が把握しやすくなり，求職先に対して親切です。

多くの資格をみたしていれば，一対一の箇条書き方式で比較すると効果的です。

そうでなければ，みたしている条件について，叙述式で多少詳しく比較する方が効果的です。

⑤　英文履歴書の参照

カバーレターの適当な箇所（文脈にもよりますが，なるべく後部）で，同封した英文履歴書について書きます。

3　結び－面接につなぎ，謝意を述べる

①　面接につなげる

セールス・レターとしてのカバーレターでは，次の行動につなげるために，面接予定について求職先から連絡してもらうか，こちらから都合を聞くか，について書くことが大切です。

②　謝意を述べる

礼儀として最後に，求職先の担当者がカバーレターと英文履歴書を読んでもらったことに対して，鄭重に感謝の言葉を述べます。

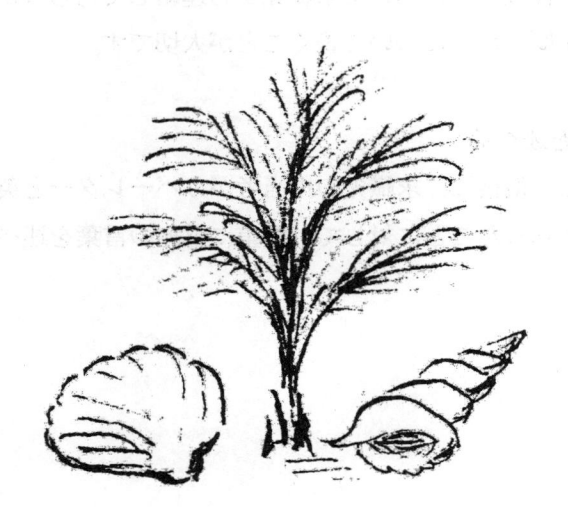

第8章　カバーレターの作成準備

　効果的なカバーレターを作るためには十分な準備が必要です。さもないと，内容がいい加減なものとなり，考えの浅い人物であろうと，求職先に思われることになります。

　何事によらず，第一印象を良くすることは極めて大切です。採用担当者が通常，最初に見るのはカバーレターです。それがお粗末であれば，英文履歴書を見るまでもなく，面接対象者から外されることになります。そうしますと，せっかく貴重な時間と努力を注ぎ込んで作った英文履歴書が活かされません。

　すぐれた応募資格をもち，それを織りこんだ効果的な英文履歴書を送っても，それを読んでもらえなければ，面接の機会はあたえられません。

　よくできたカバーレターは読む人の関心をひき，この人物は役に立ちそうだから英文履歴書をじっくり読んでみよう，との気持をおこさせます。特にすぐれたカバーレターであれば，それだけで面接してみようとの気持を求職先にもってもらうこともできましょう。

　すぐれたカバーレターを作るには，十分な事前準備が必要です。その準備は，あなたが求めるポジションについて，求職先が求める資格・要件との関連での，自分の知識・能力・経歴・成果を慎重に考察・分析することから始めます。

　カバーレターの作成準備は，次のステップで行います。

1　希望職種の分析
2　自己分析
3　資格の比較検討

1　希望職種の分析

　効果的なカバーレターは，希望職種に向けての資格に焦点をあてる必要があるので，まず希望職種について分析することから始めます。

　特に，希望職種で成果をあげるために必要な，知識・能力について知る必要があります。

　そのために，次の点について考えましょう。
- そのポジションでの職務遂行のために求められる，能力や経歴などは何か？
- その職務での，現在の課題・目標は何か？
- これらの課題・目標を達成するにあたっての，主な問題点は何か？
- これらの問題点を解決し，課題・目標を達成するために必要な，知識・技能は何か？

2　自己分析

　希望職種の分析に続く作業は自己分析です。

　あなたの学歴・職歴を注意深く調べ，自分がもつ知識・技能が，どの程度，希望職種に求められる問題解決能力をみたすものであるか，を把握します。

　大事なことは，これらの知識・能力を活用して好ましい成果をあげた証拠としての，実績を示すことです。

自己分析のためには，経歴を組織的に検討して，次の点を明らかにしなくてはなりません。
- 希望職種の関連でもっている知識
- その知識を身につけた経緯
- その知識を活用した成果・実績

このような自己分析を行うための，検討事項は次のとおりです。

① 職　　　歴

多くの場合，職歴の分析は自己分析の過程で最も重要です。

希望職種に関連した，あなたの具体的な業績・成果を確認します。

これらの実績は，あなたが求職先の求める重要な問題を解決して成果をあげる能力の持ち主であり，新たな職場での戦力になる,ということを示す証拠になります。

まず，あなたの職歴のなかで，希望職種に求められる職能や，そのポジションが現在当面している問題に関連のある職歴を選びます。

選びだされた職歴の各々について，次の情報をまとめます。
- 職名（肩書），社名，部署，期間
- 主な担当業務（できるだけ具体的に）
- 主な成果・実績（できるだけ具体的・定量的に）

これらの情報から，カバーレターの作成に活かすデータを求めます。

② 学　　　歴

学校での専攻科目と，希望職種に関連する科目。希望職種での問題解決や職務達成に役立つような知識・研究の具体的内容。

③ 研　　　修

　希望職種での職務遂行に必要な知識を身につけた研修と，その具体的内容。

3　資格の比較検討

　希望職種の分析と自己分析を行った結果として，希望職種で職責を果たし，求職先が求める成果をあげるために必要な素養・知識・経験・能力をどの程度身につけ，どのような実績をあげているか，についての理解ができると思います。

　特に重要なことは，求職先が当面している問題点を解決する能力をもつことを示す，具体的証拠となる実績について把握することです。

　カバーレター作成の次のステップは，応募資格と，あなたの資格との比較対照です。その目的は次のとおりです。
- 応募資格と自分の資格とがマッチする点を把握する。
- 求職先が特に重要と考える業務を確認する。
- これらの重要業務遂行に役立つと判断される根拠となるような，業績を選ぶ。

　このようにして調べた情報が，効果的なカバーレターの中心的な材料になります。この実績を上手にカバーレターに含めれば，あなたが強い戦力となることを求職先に説得する有力な材料になります。

　求職先に最も効果的な印象をあたえると思われる業績を絞り込むために，次の点を考えてください。

- 希望職種での担当業務のなかで，求職先の組織全体の業績に重要と思われるものは何か？
    （重要性の順番に書く）
- これら担当業務の各々について，どのような成果が求められていると思うか？
    （重要性の順番に，対応させて書く）
- 担当業務ごとに求められる成果に対応する，あなたの重要な業績は何か？
    （上記の順番で，対応させて書く）

　以上のプロセスで，効果的なカバーレターを作るのに必要なデータを準備したことになります。

　この手法によって，いろいろな求職先のニーズをみたす資格と業績を選び出し，これらに焦点をあてたカバーレターを作れます。このプロセスとデータは，面接を含めた今後の求職活動に大きく参考になります。

　このように効果的なアプローチをするということは，あなたが業務遂行を成功させるための手法を身につけている，ということを求職先に示すことにもなり，求職活動で極めて有効です。

　次の第9章から第11章までで，いろいろなケースでのカバーレターの書き方について説明します。

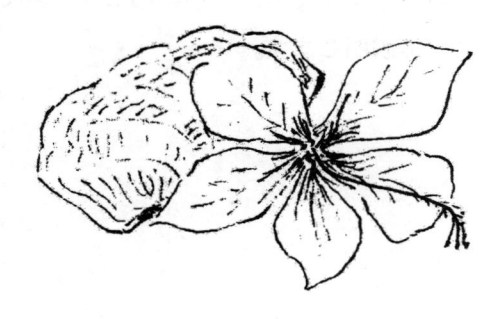

第9章　広告に応じるカバーレター

　本章では，ジャパン・タイムズ（月曜日），日本経済新聞（日曜日）などの新聞や，各種の就職専門雑誌などの求人広告に応募する場合の，カバーレターの書き方について説明します。

　求人広告に応じる場合の特徴は，求職先と職種が絞られており，業務内容や応募資格がかなり具体的に分かっている場合が多い，ということです。このために，特定のニーズに焦点をあてた，求職先からよい反応をもらえるカバーレターが作りやすいです。

　逆にいえば，求職先のニーズに的確に応えるような内容のカバーレターを作らなければ，よい反応は期待できません。とおり一遍のカバーレターを書けば，次のような印象を求職先にあたえます。

- 応募者は，はたして適切な資格をもっているのか？
- 志望意志は，あまり強くないのではないか？
- まともなカバーレターを書かないほど不精なのか？

　広告に応じる多くの求職者のなかから，面接の候補者として選ばれるためには，特定の職種に対する応募資格があることを，簡潔・明確に示すカバーレターを作らねばなりません。

　特定の広告に的を絞った，効果的なカバーレターを入念に作ることにより，面接のチャンスは大きくなります。

　このためのステップは次のとおりです。

1　求人広告の分析

　求人広告に応える効果的なカバーレターを作るための最初のステップは，応募するための資格要件を確かめることです。
　次のステップは，応募資格とあなたの資格（知識・スキル・経験・資質）との比較対照です。
　このような分析の結果にもとづき，応募資格とあなたのもつ資格とが合致する点に求職先の注意がむくように，カバーレターを作ります。
　そのための検討事項は次のとおりです。

- 必要とされる学位・専攻は何か？あなたがもたれる学位・専攻は何か？
- 必要とされる，または望ましいとされるスキルは何か？あなたは，このようなスキルをおもちか？
- 特別な専門知識・技術知識が求められているか？あなたは，このような特別の知識をおもちか？その程度を具体的に示すものはあるか？
- 例えばマネジメントのポジションの場合，具体的な対象・内容が示されているか？あなたがもつマネジメントの経験のうち，この要求をみたすものは何か？
- 必要とされる経験年数は何年か？どのレベルの経験か？あなたは，そのレベルで何年の経験をもっているか？
- どのような資質・特性が求められているか？それらのうち，あなたがもつものは何か？

以上の事項を検討されますと，個々の応募条件とあなたの資格との比較資料ができあがり，カバーレターの内容構成を考える基礎となります。

2　求人広告の強調点

　求人広告の表現を注意深く読めば，特に関心のある資格が分かる場合が結構あります。例えば次のような表現です。
　　　　　required　　　must be　　　should be　　　desirable
　　　　　knowledgeable of　　　proficient in
　このような特定の資格をみたしている場合は，その内容をカバーレターに含めるべきです。
　特定の資格要件が繰り返して記載されている場合は，この要件が特に重要であることを示します。
　これらの重要な要件をみたす場合は，その資格に焦点をあてたパラグラフを作ると効果的です。

3　重要な構成要素

　求人広告に応ずるカバーレターには次の項目を含めます。
- 求人広告を参照する
- 希望職種に対する関心を述べる
- 応募資格と自分の資格を較べる
- 返事または面接のアポイントを求める

① 広告の参照
　大きな企業の場合は複数の職種に対する求人広告を出すことが多いので，カバーレターと英文履歴書が担当部署に確実に届くように，広告媒体の名前・日付と希望職種を書きましょう。

② 資格の比較
　応募資格とあなたの資格とを効果的に比較対照すれば，希望職種に就く有資格者だから面接の候補者にしよう，との気持を求職先にもってもらうのに効果的です。

4　応募資格と自分の資格との対比

① 一対一での資格の比較
　求人広告に明記された応募資格のすべて，または大部分をみたしている場合には，応募資格の各々について，自分の資格と一対一で比較する方が効果的です。この方式をとると，採用担当者が資格を容易に比較できる利点があります。

② みたしている資格のみの比較
　求人広告で求められている資格の一部しかみたしていない場合には，一対一での比較をすると資格不足が明白になるので，好ましくありません。
　その場合には，求人広告で求められている資格のうち，自分がみたしている資格を抜きだして，それについて重点的に叙述する方が効果的です。

第10章　ダイレクト・メール方式の
　　　　　カバーレター

　求人広告への応募または紹介によらずに，ダイレクト・メール方式で，多くの会社に同じ内容のカバーレターと英文履歴書を送るのは効果的ではありません。
　ダイレクト・メール方式の場合は，相手をできるだけ絞り，そのニーズに合わせたカバーレターを作るべきです。

1　業績のアピール

　個々の求職先で，将来，自分が一定の成果をあげ得るであろうと推測できる根拠になるように，希望職種に関連した業績に焦点をあてたカバーレターを作るべきです。
　どのような業績に焦点をあてるか，ということを判断するためには，希望職種に関係の深い業績は何か，ということを確認すべきです。
　そのために検討すべき事項は次のとおりです。
- 希望職種での一般的な職責は何か？
- この職責を達成すれば，どのような結果が期待できるか？
- このような職責に似た職責を担ったことはあるか？
- このような職責で達成した，主な成果・業績はどうか？

　このような分析の結果で分かることは，同様な職種での職責と成果・業績とは，結構，似ているということです。
　例えば次のとおりです。

<u>マーケティングの場合</u>
　職責
　　最小コストでの売上増進，マーケットシェアの拡大
　成果
　　売上高伸張，市場拡大，新市場開拓，広告費削減
<u>製造の場合</u>
　職責
　　最小コストでの生産高拡大，品質向上
　成果
　　品質改善，不良品削減，材料費削減，生産高増大

　これらの成果は，多くの企業が求めているものですので，これらに焦点をあてたカバーレターを作ればよいわけです。

2　資質のアピール

　業績の代わりに，または業績に加えて，希望職種に関連づけた，次のような資質についてアピールすると効果的です。

- 熱意・やる気
- 強固な意志
- 自発性・創造性
- 行動力
- 外向性
- 友好的な性格
- リーダーシップ
- サービス志向

3　重要な構成要素

カバーレターに含める要素には，次のようなものがあります。
- 希望職種を述べる
- 関連する成果・業績を書く
- 簡単に経歴のポイントを述べる
- 面接へのステップにつなげる

宛先は，関連部門で必要とする人材についての知識をもち，かつ採用権限をもつ人物に宛てて送るのが効果的です。そのために特に注意すべき点について述べましょう。

①　宛　　先

目標とする会社を絞り込み，個々の会社の事情について調査し，それぞれに合わせてカバーレターをカスタマイズして，担当部門宛てに送れば，よりよい効果を期待できます。

担当部門宛ての場合は，希望職種のレベルから2段階くらい上位のマネジメント・ポジションの責任者宛てとするのが望ましいです。理由は，その地位にある人は，昇進の競争相手になる可能性は少なく，公正な判断を下せるからです。

②　求職資格

求職資格としては，希望職種関連で次のようなものがあります。
- 学歴（専攻科目）・知識・能力
- 担当業務経験
- 担当業務での成果・業績

第11章　その他のカバーレター

　カバーレターを送る際に，求人広告に応じる場合と，ダイレクト・メール方式との場合とについて前の2章で述べました。本章では，それ以外のケースとして，紹介による場合と就職斡旋会社経由の場合とについて述べます。

1　紹介による場合のカバーレター

　適当な人の紹介がある場合は有利ですので，書き出しに，その旨を書きます。
　その他は，求人広告に応じる場合や，ダイレクト・メール方式で送る場合に準じます。

2　就職斡旋会社宛てのカバーレター

　就職斡旋会社宛てに英文履歴書を送る場合にも，英文履歴書だけを送るのはビジネス・マナーに反します。
　しかるべきカバーレターをつける方が，あなたの希望などを理解してもらえて，より効果的に動いてもらえるでしょう。
　国内の就職斡旋会社宛てには添え状（和文）でいいですが，海外の就職斡旋会社宛てに送る英文履歴書にはカバーレターをつけましょう。
　その場合の添え状/カバーレターの重要な構成要素は次のとおりです。（通常の和文ビジネス・レターの要素は省略します）

① **希望職種と就職斡旋依頼**

　最初のパラグラフに，就職斡旋依頼と希望職種を書き，英文履歴書を送る目的を明確にします。

② **資格の要約**

　次のパラグラフに，希望職種に関連しての学歴・職歴上の資格の要旨を書きます。

　就職斡旋会社が知りたいのは，求職先または希望業界が求める資格を求職者がどの程度みたしているかという点ですので，これについて簡潔に書きましょう。

　なお，要求あり次第，追加情報を提供する旨を書きます。

③ **連絡方法と謝辞**

　今後の連絡を自分から行うか，先方に依頼するかについて書き，斡旋についての謝意を述べます。

第12章　カバーレター発送時の注意

1　発送前のチェック

　カバーレターは，ビジネス・レターの書き方についての，あなたの知識の程度を示します。英文履歴書にカバーレターをつけて送る前に，次の諸点について再チェックしましょう。

①　体　　裁
- Ａ４サイズで良質な厚目の白紙を使っているか？
- 一定のビジネス・レターのフォーマットを使っているか？
- レイアウトはきちんとしているか？
- 汚れ，訂正，ミス・スペル，文法上のミスはないか？

②　内　　容
- 返信用のアドレスを正確に書いているか？
- 宛名のスペルなどにミスはないか？
- 拝啓にあたる挨拶の書き方に誤りはないか？
- 求職先の注意をひくような書き出しになっているか？
- 具体的な希望職種を書いているか？
- 志望意志を表明しているか？
- 志望理由を明記しているか？
- 希望職種に関係のある求職資格を述べているか？
- 主なセールス・ポイントを載せているか？
- 希望職種に役立つ知識・経験・能力・資質を書いているか？

- 英文履歴書を同封したことに触れているか？
- 面接の希望を表明しているか？
- アポイント取りつけの具体的方法を書いているか？
- 連絡を貰う電話番号と都合のよい日時や，Ｅメールアドレスを載せているか？

③ 書き方
- 求職先への貢献など，求職先の視点から書いているか？
- 強い求職意志を表明しているか？
- 誠実な感じをあたえるように書かれているか？
- 第一人称の使用は最小限度におさえているか？

2 封　　筒

　カバーレターと英文履歴書を入れて送る，封筒についての注意事項は次のとおりです。
- Ａ４サイズのカバーレターと英文履歴書が，折らずに入るサイズの良質の封筒を使う。
- 色は白が望ましいが，なければ上品な淡色の封筒を使う。
- 縦形が望ましい。

　表書きのフォーマットは次のとおりで，次ページに図示します。
- 返信用アドレスは封筒の左上に書く。
- 宛名は封筒の中央に書く。
- 切手は右上に貼る
- 封筒に直接タイプしにくい場合は，返信用アドレスと宛名をタイプした紙を上記の場所に貼りつける。

封筒の表書きのフォーマット

Ichiro Bando
1-2-34, Daita
Setagaya-ku, Tokyo 155-0033

切手

Mr. Robert Mason
 Manager, Customer Suppor Department
Acme Japan, Inc.
2-5-7, Otemachi, Chiyoda-ku, Tokyo 100-0004

3　送るタイミング

　カバーレターと英文履歴書は，火曜日から木曜日の間に求職先に着くようなタイミングで送りましょう。

　その理由は，月曜日は，採用担当者が何かと多忙なうえに，求職書類が多数届くので，個々の書類に十分な時間がとれないでしょうし，金曜日は，その週内に終えなければならない作業があるために，ゆっくりとカバーレターや英文履歴書を見てもらえない確率が高いからです。

　Japan Times の月曜日版（当日が新聞休日の時は火曜日版）には，求人広告が多数載ります。その広告を見て，一両日中にカバーレターと英文履歴書を発送すれば，水曜日前後に求人先に届きます。

　あらかじめ希望職種に合わせた英文履歴書とカバーレターを準備しておき，求人広告を見てから，具体的な応募資格に焦点をあてて英文履歴書の内容を調整し，カバーレターを当面の求職先にカスタマイズして，すばやく発送すればタイムリーで効果的です。

　このように迅速に対応するのは決して簡単ではありませんが，平素から準備をしていれば，可能でしょう。情報化が急速に進展する今日，スピードの重要性はますます高まっています。求職活動にもスピーディな対応が望まれます。

第2部

カバーレター全体の文例

第2部の目次（英文）

Auto Mechanic ···································· 60
Cabin Attendant ··································· 62
General Affairs Staff ································ 64
Hardware Engineer ································· 66
Management Consultant ····························· 68
Mechanical Design Engineer ························· 70
Research Associate ································· 72
Software Engineer ·································· 74
Sushi Chain Manager ······························· 76
System Specialist ·································· 78
Technical Support Manager ·························· 80
Telesales Representative ···························· 82

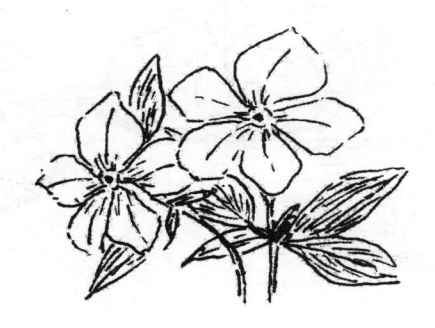

第2部の目次（和文）

オート・メカニック‥‥‥‥‥‥‥‥‥‥‥‥‥‥‥‥‥‥61
キャビン・アテンダント‥‥‥‥‥‥‥‥‥‥‥‥‥‥‥63
ジェネラル・アフェアーズ・スタッフ‥‥‥‥‥‥‥‥65
ハードウエア・エンジニア‥‥‥‥‥‥‥‥‥‥‥‥‥67
マネジメント・コンサルタント‥‥‥‥‥‥‥‥‥‥‥69
メカニカル・デザイン・エンジニア‥‥‥‥‥‥‥‥‥71
リサーチ・アソシエーツ‥‥‥‥‥‥‥‥‥‥‥‥‥‥73
ソフトウエア・エンジニア‥‥‥‥‥‥‥‥‥‥‥‥‥75
すしチェーン・マネジャー‥‥‥‥‥‥‥‥‥‥‥‥‥77
システム・スペシャリスト‥‥‥‥‥‥‥‥‥‥‥‥‥79
テクニカル・サポート・マネジャー‥‥‥‥‥‥‥‥‥81
テレセールス・レプレゼンタティブ‥‥‥‥‥‥‥‥‥83

Auto Mechanic

Perhaps one of your clients may be looking for a seasoned mechanic who can provide strong leadership in automotive industry. If so, they may find my credentials quite interesting.

I have been working as a mechanic in automotive and motorcycle maintenance and repair for the last twenty-four years. Presently, I am working as technical supervisor overseeing final quality checks for transmissions manufactured by the company, which has produced over 20 million automobile transmissions.

In the course of my career, I have also gained skills and valuable experience in automobile customizing, tune-ups, and related jobs. I believe I can handle almost any thing in automotive maintenance. In addition to the technical aspects of the job, I have knowledge, experience and leadership necessary to manage staff and trainees. I have an excellent work ethic and take great pride in contributing to the company I work for.

Canada, especially the Vancouver area, has been the place where I have been very much interested in relocating. With the technical experience I have gained in Japan, I now hope to be able to work in the new environment.

Should one of your clients have a suitable opportunity, I would appreciate hearing from you by e-mail. My resume is attached. If you require further information, please let me know. Thank you for your consideration.

オート・メカニック

貴社の顧客のなかに，自動車業界での経験豊富な強い指導力をもつ，オート・メカニックを求めている会社があろうかと思いますが，その会社は私の資格に相当な興味をもたれると思います。

過去24年間にわたり，自動車とオートバイのメンテナンス・修理のメカニックとして働いてまいり，現在は，これまでに2千万を超すトランスミッションを製造してきた会社で，トランスミッションの最終品質検査を監督する管理者として勤務しております。

職歴をとおして，自動車のカスタム・チューンアップ・その他の関連作業での技能と貴重な経験を身につけました。自動車のメンテナンス関連では，ほぼ何でも扱える自信があります。技術面に加えて，スタッフや見習工を管理するのに必要な知識・経験・指導力をもっております。何時も最善の能力を発揮してまいり，優れた職業倫理をもち，会社への貢献に大きな誇りをいだいております。

カナダ，特にバンクーバー地域は，私が移住先として最も関心をもってきた処です。日本で得た技術経験をもって，新しい環境で勤務することを希望しています。

貴社の顧客のなかで適当な就職機会がありましたら，Eメールでご連絡いただければ幸いです。レジュメを添付しましたが，追加情報が必要でしたら，ご連絡ください。

Cabin Attendant

It would be my pleasure if you consider me as a candidate for your cabin attendant when you have an opening. I like Niles's' policy to give individual judgment and flexibility to the crew. Providing best service to passengers while maintaining integrity and interests of the airlines should be the major responsibility of cabin attendants and I believe I have appropriate qualifications.

Through 10 years of strict educational environment of a missionary school, I acquired good manners, composure, refined way of speaking as well as basis of my beliefs. In the dormitory where students of various backgrounds lived together, I learned importance of cooperation and how to flexibly adjust to different situation. These attributes would be valuable assets as cabin attendant. I can attend passengers who demand satisfactory service while maintaining my integrity and keeping good relation with colleagues who have different cultural background.

Since graduation I have been working as sales assistant at an integrated interior goods supplier. I have successfully managed negotiation and coordination with vendors, clients and internal sections. Through dealing with various people I have build up effective interpersonal skills.

My resume is enclosed but I would like to meet with your staff and discuss possibility of my joining your company. Would you please let me know of your convenience? You can reach me at 043-xxx-xxxx during weekdays after 8 p.m. Your consideration is most appreciated.

キャビン・アテンダント

キャビン・アテンダントの欠員補充の際に，候補者としてご考慮賜れば幸いです。私はクルーに自主判断の余地をあたえる，ナポリ社の方針が好きです。会社のインテグリティと利益を維持しつつ，顧客に対する最善のサービスを提供するのは，キャビン・アテンダントの主な責務で，私は適切な資格をもつと信じます。

10年間にわたるミッション・スクールの厳格な教育環境で，信念の基礎と共に，優れた作法，落ち着き，洗練された話し方を身につけました。多彩な背景の学生が同居する寮では，協調の重要性と異なる状況への柔軟な対応を学びました。これらの特性は，キャビン・アテンダントとしての貴重な財産になると存じます。私は，自分のインテグリティを保ち，異文化の背景をもつ同僚との好関係を維持しながら，乗客のお世話ができます。

卒業以来，総合インテリア製品のサプライヤーで，営業補佐として勤務してまいり，供給業者・顧客および社内各部署との交渉と協調とを首尾よく行ってまいりました。多様な人々との折衝をとおして，効果的な対人折衝スキルを築き上げました。

レジュメを同封しておりますが，貴社のメンバーとなる可能性について，ご担当の方と直接お話し合いできればと存じます。ご都合をお知らせ願えないでしょうか？週日午後8時以降 03-1357-xxxx にご連絡いただきたく，よろしくお願い申し上げます。

General Affairs Staff

By the introduction of M.K.I., I wish to apply for a position in General Affairs Department utilizing my extensive experience as well as keen interest in pursuing my career in this field.

You are seeking a person in charge of managing the facilities such as office layout, and administration of purchasing equipment including PC, in addition to the execution of general affairs. These qualifications match mine. For a period of almost 10 years, I took care of various matters including arrangement of office layout, purchasing and management of fixtures and equipment, in addition to various general affairs duties at different levels of management position in the general affairs department of a medium size securities firm.

Working in the sales field of the same firm later, I have been performing rather well and successively received prizes for my accomplishments, but I believe my personality is better suited for the management work in general affairs. It is, therefore, my strong desire to build up my career in this field. I appreciate the policy of ACME in supporting utilization of information system coping with advancing economic globalization. I believe you are the user-oriented company with a very bright future and I strongly wish to be a member.

You may find details of my qualifications in the enclosed resume, but I would very much appreciate it if you allow me the opportunity to meet with your staff to discuss the matter further in person. Thank you very much for your consideration.

ジェネラル・アフェアーズ・スタッフ

M.K.I.社のご紹介により，総務部門での豊富な経験と，この分野でのキャリアの追求についての強い関心を活かし，総務部門でのポジションに求職いたしたく存じます。

総務業務の遂行に加えて，オフィス・レイアウトなどの施設管理と，PCなどの機器購入管理を担当する職員を，貴社は求めておられます。これらの資格は私の資格に見合います。約10年間，私は，中規模の証券会社の総務部で，異なるレベルでのマネジメントのポジションにおいて，各種の総務業務に加えて，オフィス・レイアウトのアレンジや，備品・機器の購買・管理を含む各種の業務を担当しました。

その後，同社の営業部門での勤務で相当な成果をあげてまいり，それらの業績に対していくつかの賞をいただきましたが，私の性格は総務部門での管理業務により適していると信じ，総務部門でキャリア向上を図ることを強く願っております。進展する経済のグローバル化に対応して情報システムの活用をサポートするACMEの方針を評価いたします。貴社は極めて明るい未来をもつユーザー志向の会社であると信じ，そのメンバーになりたいと切望します。

資格の詳細を同封のレジュメに記しましたが，ご担当の方にお会いして親しく本件について更にお話し合いをする機会をいただければ幸いと存じます。よろしくお願い申し上げます。

Hardware Engineer

At the Job Fair of June 8, I had the pleasure of talking with your staff and renewed my understanding about the bright future of mobile communication where engineer's challenging spirit will be fully rewarded. I have also reconfirmed Apollo's leading position in the industry and its ideal corporate culture for engineers. As a result, I have determined to put my future in your company. I would appreciate it very much if you consider me as a candidate for the position of hardware engineer.

Currently, I am R & D engineer and project leader at an electric manufacturing company. I take charge of developing mobile communication terminal using wireless LAN as a communication media. I have been quite successful in the position and highly appreciated by the clients for expediting completion of trial machines by utilizing my experience and skills in developing, designing and manufacturing new products.

I have working experience in technical field of broadcasting and have basic knowledge and experience related to audio/visual and high frequency technology. I strongly wish to contribute to Apollo by developing new products utilizing my extensive knowledge, problem-solving skills, coordination and negotiating skills as well as management skills.

The enclosed job application documents will give you details of my background. I would appreciate being granted an interview at your convenience and look forward to hearing from you soon. Thank you for your consideration.

ハードウエア・エンジニア

　6月8日のジョブ・フェアーで貴社の方と対話の機会をもつことができ，エンジニアの意欲が十分に報われる移動体通信の明るい将来についての理解を新たにしました。アポロ社の業界での指導的地位と，技術者にとっての理想的な企業文化についても再確認できましたので，私の将来を貴社に託そうと決心しました。ハードウエア・エンジニアの候補者としてご検討を賜れば幸いです。

　現在私は，電機メーカーで，R&D エンジニア兼プロジェクト・リーダーを勤め，無線 LAN を通信メディアとして使う，移動体通信端末の開発を担当しております。現在のポジションで極めて成功しており，新製品の開発・設計・製造における経験と技能を活用し，試作機を効率的に完成させていることに対して，顧客から高い評価を受けています。

　私は放送の技術分野での実務経験，ならびに視聴覚・高周波技術関連の基礎知識と経験をもっています。管理技能に加えての幅広い知識と，問題解決スキル，ならびに調整・交渉スキルとを活かした新製品開発によって，貴社に貢献いたしたいと切望いたします。

　同封の求職書類で，私の詳しい職務経歴をお分かり願えると存じます。ご都合のよろしい時に，ご面接を賜りたく，ご連絡をお待ちいたします。よろしくお願い申し上げます。

Management Consultant

The task of "making strategic recommendation and supporting its implementation" which you require for a Management Consultant is the theme I have always been interested in. The "Personal Traits" required for the consultation meet my personalities. I have had keen interest in the consulting business and. I like to challenge new career. I, therefore, wish to apply for the position, enclosing relative documents.

Through my work at a major trading company I have extensive business experience. It is my behavioral pattern to conceive ideas freely and express strait opinion. I am experienced in setting up and implementing plans to achieve targets, and positively tackle new projects. I have serious interests in how top management think and act. I set up targets from their standpoint; and, accordingly, design and execute plans to achieve targets.

My major accomplishments include:
- Conceived and implemented an idea of combined shipment for cutting-down transportation cost of chemical products to Southeast Asia utilizing Internet, resulting in the cost reduction of 30%.
- Planned and set up a computerized system to improve efficiency of importing operations in Southeast Asia through close cooperation with related offices.

May I have a chance to discuss my candidacy further with you? You may reach me at o43-357-xxxx. Thank you very much for your consideration.

マネジメント・コンサルタント

マネジメント・コンサルタントに対して貴社が求められる「経営戦略の提言と実施支援」という課題は，私が常に関心を抱いてきたテーマです。コンサルテーションに求められる「資質」は，私の性格に合っています。私はコンサルティング・ビジネスに強い関心をもち，新たなキャリアに挑戦したいと存じますので，関係書類を同封し，応募させていただきます。

大手商社勤務をとおして，私は豊富な経験を積んでいます。自由に発想し，率直な意見を述べるのが私の行動パターンです。計画を策定，実行して目標を達成し，新規プロジェクトに取り組むのに長けています。最高経営者がどのように考え行動するか，ということに真剣な関心をもち，最高幹部の視点から目標を設定し，その線にそって計画を策定・実行し，目標を達成しております。

主な業績には次のようなものがあります。
- 東南アジア向け化学品の船積みコスト削減のため，インターネットを活用した積み合わせのアイディアを発案・実施し，コストを30％削減。
- 関連諸事務所との緊密な協調により，東南アジアでの輸入業務の効率化のための，コンピュータシステムを計画・実施。

求職資格について更にお話し合いの機会を賜りたく，043-357-xxxxにご連絡ください。よろしくお願い申し上げます。

Mechanical Design Engineer

Thank you very much for your e-mail of June 29 requesting me to submit papers for your selection procedure as your regular staff member. I strongly wish to apply for the position of Mechanical Design Engineer and I am very much pleased to enclose necessary documents.

During these 10 years I have been mainly taking charge of designing and evaluation of portable information terminals for the business use. I sincerely wish to utilize my experience to contribute to the development of terminals and infrastructure instruments for WCDMA, which your company, the leader in this field, is now promoting.

In my present position, I have been in charge of developing new portable information terminals for the business use and have successfully performed a chain of duties from designing to start-up of the mass production of more than 50% of the new models. Through these processes I have acquired extensive knowledge of the ideal products as well as know-how of raising reliability and improving operability. Designing small, lightweight and user friendly products with 2D-CAD is my forte. I have enclosed catalogs of the products I took charge of.

Regarding the detail of my experience I wish you to refer to the enclosed documents, but I strongly wish to meet with your staff members to discuss the matter including your new project. I would appreciate it very much if you let me know the convenient time when we can meet by any method suitable to you.

メカニカル・デザイン・エンジニア

6月29日付け電子メールで，正社員として正式選考のための必要書類を提出するように，とのご連絡を賜り誠にありがとうございました。メカニカル・デザイン・エンジニアとして採用方ご考慮を賜りたく，関係書類を同封させていただきます。

この10年間に私は，おもに業務用情報端末の設計・評価を担当してまいりました。本分野での世界のトップ企業である貴社が，現在ご推進中の，WCDMA対応の端末やインフラ機器開発に，私の体験を活かして貢献致したいと熱望いたしております。

現在のポジションで私は，業務用情報端末の新製品開発を担当し，全体の50%を上回る新製品の開発から量産立ち上げまでの，一連の業務を首尾よく遂行してまいりました。その過程で，信頼性向上と操作性改善についてのノウハウと，製品の理想像についての広範な知識とを身につけました。小型軽量で使い勝手のよい製品を2D-CADで設計することは，私の得意とするところです。私が担当しました製品のカタログを同封いたしました。

詳細な経歴につきましては，同封書類をご高覧いただきたく存じますが，ご担当の方々にお目にかかり，貴社の新しいプロジェクトを含めてのお話し合いをいたしたいと切望いたします。お会いできます日時を，ご都合のよろしい方法でご連絡いただければ幸いです。

Research Associate

Research work is my favorite field as well as my forte and it has been my desire to pursue my career in the related field. I, therefore, wish to apply for the position of associate which Stanford Research Institute, the market leader with foresight and innovation in an ever-changing financial business, are now recruiting for the Securities Analysis Department.

For nearly 11 years, I have been involved in the business of loan and research related transactions in a major city bank, so I am considerably experienced with corporate financial analysis and research. As I am currently in charge of managing loans mainly to the companies with financial problems, I am confident in my ability in the financial analysis.

While I worked for Research Division, I voluntarily made researches on various industries and business trends, and submitted relative reports. I am, therefore, self-confident in my aptitude for the research work.

My resume is enclosed, but I would very much like to talk with you in detail about the contents of the job assignments and my qualifications. Your call to 047-963-8219 or e-mail to nakayama@d7.dion.ne.jp would be very much appreciated. Thank you very much for your time and consideration.

リサーチ・アソシエーツ

調査業務は私が得意とする大好きな分野で,かねてから調査関連分野でのキャリアの追求を願っていました。そこで,変化を続ける金融ビジネスにおける,先見性と革新性をもつ業界のリーダーである Stanford Research Institute が,証券分析部要員として求めておられるアソシエーツに応募いたしたく存じます。

ほぼ11年にわたり,大手都市銀行で貸付と調査関連業務に携わってまいりましたので,企業の財務分析・調査では相当な経験を積んでおります。現在はおもに,財務上の問題をかかえる会社に対するローン管理を担当しており,財務分析能力には自信があります。

調査部勤務中に,自発的に各業界とビジネス・トレンドについての調査を行い,関連の報告書を提出しましたので,調査業務についての私の適性について自信をもっております。

レジュメを同封していますが,お目にかかって,担当業務と私の資格とについて,詳しくお話し合いをいたしたいと切望します。047-963-xxxx または nakayama@d7.dion.ne.jpにご連絡いただければ幸いです。ご多忙と存じますが何分よろしくお願い申し上げます。

Software Engineer

The information I obtained at the Job Fair of May 8 was extremely interesting. I realized that your communication system and the electric system I have been producing are very similar. I believe my knowledge and experience would be useful for the position of software engineer you are looking for.

At graduate school I studied numerical electric field analysis. The basic knowledge of mathematics I acquired there is certainly applicable for designing sound system at Delphi. I utilized C/C++, Windows programming and networking for my study and, thereby acquired extensive computer technology. After joining an electric manufacturing company I have been involved in electric design engineering. I have produced embedded programming using Assembly. I am certain that the skills I acquired there will be useful in producing mobile phones software and base station software.

I am very much interested in communication fields where new technologies come in existence constantly. The working environment in your company, the leader in this field, is very attractive to me and I believe I can contribute, with my skills and experience, to the product development of your company.

As to my detailed background, please refer to the enclosed resume. I would appreciate being granted an interview at your earliest convenience. I look forward to your call or E-mail. Thank your very much for your consideration.

ソフトウエア・エンジニア

5月8日の適職フェアでのお話は大変興味深かったです。貴社コミュニケーション・システムと私が作りました電機システムとは，非常に似ているのが分かりました。私の知識経験は，貴社がお求めのソフトウエア・エンジニアの職務で活かせると存じます。

大学院では数値電界解析を学びました。そこで得た数学の基礎知識は，Delphi社での音声処理の設計に確実に応用可能と存じます。私はまた，C/C++言語，ウィンドウズ・プログラミング，ネットワーキングを研究に活用し，コンピュータ技術を身につけました。電気機器メーカー入社後は，電気設計を担当してまいり，組み込みプログラムの製作をアセンブリ言語で行いました。そこで得た技能は，通信端末ソフトウエア，通信基地局ソフトウエアの製作に役立つと確信いたします。

新技術が次々と生まれる通信分野に大変興味があります。この分野のリーダーである貴社での勤務環境は大変魅力的であり，私の技能と経験とをもって，貴社の製品開発に貢献できると信じます。

経歴の詳細につきましては同封レジュメをご覧ください。ご都合のよろしい時に，面接の機会があたえられますれば幸いです。お電話または電子メールでのご連絡をお待ちいたします。よろしくお願い申し上げます。

Sushi Chain Manager

Your home page looking for a Sushi Chain Manager interests me very much. You ask for motivated people with minimum three years experience as chef with official license. These qualifications match me exactly. Your chain, I believe, has a very bright future in New Zealand and I would like very much to work there. Please consider me as a candidate for the position.

I obtained chef license in 1993 and for the last five years or so, I have been managing a company's villa for their employees. The major responsibilities are managing kitchen, cooking, controlling stock, attending guests and managing personnel. In addition, I have various technical licenses necessary for operating establishments like restaurant.

New Zealand is the country I wish to settle down and my wife is willing to accompany me. My wife and I like to travel abroad and have visited about 30 countries and 50 cities. We enjoy communicating with people of different cultural background.

As we have no child and can leave for New Zealand rather easily, I am eager to take up the position as soon as possible. I would appreciate it very much if you could let me know how to proceed from here. If you wish additional information, please let me know. I shall be glad to send it promptly.

Thank you very much for your time and consideration.

すしチェーン・マネジャー

すしチェーン・マネジャーを求めておられるホームページに大変興味をもちました。シェフの免許をもち最低3年の経験のある意欲的な人物を求めておられますが、これらの資格は私にピッタリです。貴チェーンはニュージーランドで極めて明るい将来性があると存じます。同地でぜひ勤務したいと存じますので、候補者としてご検討いただけますよう、お願い申し上げます。

私は1993年にシェフの免許をとり、この約5年間、会社の社員保養所を管理しています。主な職務はキッチンの管理、料理、在庫管理、ゲストの世話と人事管理です。私は、料理免許に加え、レストラン運営に必要な各種の技術免許をもっています。

ニュージーランドは永住したい国であり、家内も喜んで同行します。家内と私は海外旅行が好きで、約30ヵ国、約50の都市を訪れています。私たちは、異文化の人たちとコミュニケーションをするのが楽しいです。

子供がなく比較的楽に移住できますので、できるだけ早くこの職に就きたいと熱望します。今後どのように話を進めればよろしいか、お知らせいただければ幸いです。追加の情報が必要でしたらご連絡ください。直ぐにお送りいたします。

よろしくご検討くださいますよう、お願い申し上げます。

System Specialist

From Tech B-ing of July, 1999 I have found that you are looking for System Specialist in charge of designing and integration of architecture. With my extensive experience in system development and special interest in data communication I believe I can be considered as a candidate.

As I have experienced various phases of software development I can perform well-balanced designing. The machines and languages I have used are well diverse. In addition, I have several cases of experience in which I developed new systems with little technical data to refer to because there was no precedent.

By looking at the CD-ROM movie attached to Tech B-ing, I have learned that Delphi's way of doing business is European style and the organization is flat which suit me very well. Europe is my favorite destination of travel, one of my diversified interests. Since 1990 I have made trips almost every year by myself to European countries such as France and Greece. It would be wonderful if I would be favored with the position in your company.

The enclosed resume will give you details of my background. May I come to see you at your earliest convenience to discuss the possibility? Please let me know by E-mail or telephone. Thank you for your consideration.

システム・スペシャリスト

1999年7月のTech B-ingで，アーキテクチャー設計・インテグレーション担当のシステム・スペシャリストをお求めのことを拝見しました。システム開発での幅広い経験とデータ通信についての特別の関心をもっていますので，候補者としてお考え願えると存じます。

ソフトウエア開発の各局面を私は経験していますので，バランスのとれた設計ができると存じます。使用した機械と言語は多様です。加えて，前例がないために参照する技術資料がほとんどない状態で新製品を開発した経験も数回あります。

Tech B-ingに添付のCD-ROMムービーを拝見して，Delphi社のビジネスの進め方はヨーロッパ・スタイルであり，組織はフラットで，私に向いていることを知りました。欧州は，私の多様な趣味の一つである旅行での大好きな目的地です。1990年以来ほぼ毎年，フランスやギリシャなどの欧州各国を訪ねました。貴社に勤務できれば素晴らしいと存じます。

同封レジュメには詳しい経歴を書いてあります。ご都合のよろしい時になるべく早くお目にかかり，就職の可能性についてお話し合いできないでしょうか？ Eメールか電話でお知らせくださりますよう，よろしくお願い申し上げます。

Technical Support Manager

Delphi Japan, I understand, is concentrating new strength on sales expansion of server and storage products. Utilizing my experience as Technical Support Manager at JGE and my personal qualities suitable for the job, I strongly wish to be the Technical Support Manager in this new field and contribute to the expansion of your company. Application documents are enclosed

At JGE, I continuously performed the function of technical support for twelve years and a half and became the first manager of Integration Support Group, which I planned and initiated. Currently I am Customer Satisfaction Project Manager having a staff of seventeen. I plan, initiate, and manage various projects aiming at service improvement.

Cultivating new field is a very attractive task to me, and it is my motto to work effectively and efficiently. I am skillful to create, plan and implement products, service and operation, which are free from conventional concept; and I am good at coordinating and negotiating with various offices inside and outside of the company. I am good at managing staff. I project my vision, set target, maintain motivation and operate with high morale. I make it a principle to deal with sincerity and believe that mutual understanding through continuous communication is the most effective element in business.

As this application is through the courtesy of Excellence Co., I would appreciate it very much if you would inform them of the date and time appropriate for the interview. Tank you very much for your consideration.

テクニカル・サポート・マネジャー

日本 Delphi は現在，サーバー製品やストレージ製品の拡売に注力中と承知しております。JGE 社でのテクニカル・サポート・マネジャーとしての経験と本業務についての適性とを活かし，この新分野でのテクニカル・サポート・マネジャーとして，貴社のご発展に貢献したく切望し，求職書類を同封いたしました。

JGE で私は，12 年半にわたり，一貫してテクニカル・サポート業務にたずさわり，自分で企画・発足させた統合サポート・グループの初代主任に就任しました。現在は 17 名の部下をもつ CS プロジェクト・マネジャーを勤め，サービス向上を目標とする各種プロジェクトの企画・導入・管理を行っております。

新分野の開拓は非常に魅力のある職務であり，効果的で効率的な仕事は私のモットーです。既存概念にとらわれない製品・サービスと運用の創造・企画・実行に熟達し，社内外の各部署との調整，折衝が得意です。私はスタッフの管理にすぐれています。ビジョンを提示して目標を設定し，それに向けてチームのモチベーションを維持し，高いモラルで運営します。対人関係では誠実を旨とし，不断のコミュニケーションを通しての相互理解が最大の効果を発揮すると考えます。

今回の求職はエクセレンス社のご紹介によるものですので，ご都合のよろしい日時を同社にご連絡いただければ幸いです。よろしくご検討を賜りますよう，お願い申し上げます。

Telesales Representative

With my experience in and aptitude for one-to-one online marketing in a team-selling model, I wish to apply for the position of Telesales Representative. Four awards, which I received from Apollo Japan for sales increase and Q.C. activity in establishing Intranet, prove my achievements.

Some of my qualifications to meet your requirements are as follows:
- Experience in telesales for 3 years with annual sales quota over $5M.
- Experience in online marketing in a team-selling model to large corporate accounts.
- Communicating weekly with approximately 1,500 staffers of the clients through E-mail news and handling more than 100 calls daily with clients.
- Experience in maintaining LAN operation of CAD system and coding programs.

Through a team-selling model, I have learned the importance of working together. I enjoy working with people, take challenges and accept responsibilities. In addition to the B.A. degree majoring in Communication, I completed the course of Electronic Technology. Moreover, to cope with the development of Internet technology, I acquired qualification for Internet Professional Adviser.

I am eager to pursue my career at your company -- a leading, rapidly growing, one-to-one marketing company. Your consideration of my employment candidacy would be very much appreciated and I look forward to your call.

テレセールス・レプレゼンタティブ

チーム販売モデルでの一対一オンライン・マーケティングの経験と適性をもって、テレセールス・レプレゼンタティブとして求職します。拡販への貢献とイントラネット確立でのQC活動に対して日本アポロ社から受けた4件の賞は、私の能力と業績とを証明いたします。

貴社の応募資格にかなう資格として次のようなものがあります。
- 3年間、年商5百万ドルを超す割当での、テレセールスの経験
- 大手アカウントに対するチーム・セールス・モデルでの、オンライン・マーケティングの経験
- 約1500名におよぶ顧客担当者との、毎週のEメール・ニュースでの交信と、クライアントとの毎日100以上の電話連絡
- CADシステムのLANオペレーションの保守と、コーディング・プログラムの経験

チーム販売モデルにおいては、協働の重要性を学びました。人々と一緒に働き、挑戦し、責任を取るのは楽しいです。コミュニケーション専攻の学士号に加えて、電子技術研修を終了し、さらにインターネット技術の発展に対応するため、インターネット専門アドバイザーの資格を取得しました。

先導的立場で急成長を続ける、一対一マーケティングの会社である貴社でキャリアを伸ばしたいと熱望しますので、求職資格をご検討いただければ大変ありがたく、ご連絡をお待ちいたします。

第3部

カバーレター各部の文例

第1章　書き出しの文例

　書き出しでは，求職先の注意をひいて内容を読んでもらうようなことを書き，希望職種と求職の意思を明確に表明します。

1　広告に応募する

I have the educational background, professional experience, and track record for which you are searching.

　　貴社がお求めになられる学歴，専門的経験と業績を，私はもっています。

The position described in your advertisement is the job I have been preparing for throughout my career.

　　貴社の広告に記載されたポジションは，これまでのキャリアをとおして私が準備してきた職務です。

In your ad, you list five qualifications you seek in a Research Associate. My background and experience enable me to meet each of your requirements.

　　貴社の広告で，リサーチ・アソシエートに求める5つの資格を載せておられます。私の経歴と経験は貴社の要求の全部をみたしています。

Your recent ad in the Nikkei attracted my attention because I can offer you the precise qualifications you're seeking in a Public Relations Manager.

　日本経済新聞での貴社の最近の広告に関心をもちました。それは，貴社がPRマネジャーに求められる資格を，ずばり私がもっているからです。

My broad management experience in the fields of purchasing and logistics are an excellent match for the needs described in your advertisement.

　購買とロジスティクス分野での幅広いマネジメントの経験と，貴社の広告記載の要件とは非常によく合っています。

As an experienced and successful Sales Engineer, I offer you all of the qualifications listed in your advertisement.

　セールス・エンジニアとして経験豊かで，成果をおさめており，貴社広告記載のすべての資格をみたしています。

Your advertisement addresses my qualifications so ideally. I can offer you the precise skills for which you're searching. Allow me to provide you with the highlights:

　貴社の広告と私の資格とは理想的に合致します。私は貴社が求められるものにピッタリのスキルをもっています。資格のハイライトは次のとおりです。

2　紹介により求職する

At Mr. Lion's urging, I'd like to have you consider my application for your Manager of Sales position.

　ライオン氏のお勧めで，セールス・マネジャーのポジションに求職いたします。ご検討を賜りますようお願い申し上げます。

Mr. Mason mentioned your company has opened a division of sporting goods and suggested I contact you. We discussed the position's priorities; they seem to align perfectly with my education and experience.

　貴社がスポーツ製品部門をオープンしたので貴殿に連絡するようにと，メイソン氏からお話がありました。そのポジションに求められる優先事項について同氏と話しましたが，私の学歴と職歴に完全に合致するように思われます。

Mr. Hall mentioned that you might have some need for a Program Manager. With ten years in the field, and a proven track record of handling both program development and cost containment while increasing productivity he felt a meeting might be to both beneficial.

　貴社はプログラム・マネジャーをお求めかも知れぬとホール氏からお話がありました。私は10年間この分野で働き，プログラム開発と共に，生産性を上げながらコストを抑制してまいった実績をもっていますので，貴殿とお会いすれば，お互いに有益であろうとのことです。

3　ダイレクト・メール方式で求職する

Ten years in corporate training and management is the background I'd bring to your trainer position.
　　10年間にわたる企業での研修と管理業務の経験が，貴社のトレーナー候補としての私の経歴です。

Proven expertise in marketing, media relations and strategic planning is the background I would bring to the position of Development Manager.
　　マーケティングとメディア関係，および戦略企画での実証された経験をもちますので，開発マネジャーの職務を担当できると存じます。

Over the last three years I've excelled in training employees on our computer systems and software applications. Everyone calls when they can't figure out their computer problem or are having technical difficulties.
　　この3年間，コンピュータ・システムやソフト・アプリケーションの社員研修で，卓越した成果をあげてまいりました。コンピュータの問題を解決できないとか，技術上の困難に当面しますと，すべての人が私に相談してまいります。

Eight years in technical sales support with proven marketing and product development skills is the background I'd bring as your Sales Representative.

8年間のテクニカル・セールス・サポートの経験と，実証されたマーケティングおよび製品開発のスキルとが，貴社のセールス・レプレゼンタティブ候補としての私の資格です。

Twelve years producing profitable, measurable results in marketing is the expertise I'd bring to your Marketing Manager position.

　12年間にわたって，マーケティングで高収益で重要な成果をあげた，という専門知識と技能が，貴社のマーケティング・マネジャー候補としての私の資格です。

Fifteen years in computer systems management with ten years as top salesperson is the background I bring to your Software Sales position.

　15年間のコンピュータ・システム・マネジメントと，そのうち10年間のトップ販売担当者としての経験が，貴社でのソフトウエア・セールスのポジションに対する私の資格です。

With proven expertise in business and information systems, I would bring excellent experience increasing productivity while containing costs to your MIS team.

　ビジネスと情報システムでの実証された専門知識を私はもっており，コストを抑制しながら生産性を向上したという，すぐれた経験で，貴社のMIS (Management Information System) チームに貢献できると存じます。

I am writing to express my strong interest in employment as a Technical Support Engineer. To this end I am enclosing a resume outlining my professional qualifications for your review and consideration.

テクニカル・サポート・エンジニアとしての求職に強い関心がありますので，このお手紙を差し上げます。求職の目的で，職務資格の概要を記載したレジュメを同封いたしますので，ご検討ご考慮をお願い申し上げます。

4　電話で照会してから求職する

I enjoyed speaking with you on the phone this afternoon and appreciate your interest. As requested, I am enclosing my resume for your review.

本日午後，電話でお話しできて嬉しく存じ，ご関心をおもちいただきましたことに感謝いたします。ご要求に応えて，レジュメを同封いたしますので，ご検討ください。

Thank you for your time and the information you gave me during our phone conversation this morning. I have enclosed my resume, as you requested, and appreciate any leads you can provide.

今朝の電話の際，お時間をさいて情報をいただき，ありがとうございます。ご要求にそって，レジュメを同封いたしました。何分のご指示をいただければ幸いです。

5　知識・情報などで始める

I am delighted to learn of your job opening, because I have been searching for a company exactly like yours to make real use of my experience.

　経験を本当に活かせる，正に貴社のような会社を探していましたので，貴社の求人のことを知り嬉しく存じます。

I read the article concerning your use of organization development projects in the June 2 issue of Nikkei Business. As a seasoned O.D. professional, I found this article unusually interesting, and it has prompted my decision to apply for employment with your company.

　日経ビジネスの6月2日号で，貴社の組織開発プロジェクト活用に関する記事を拝読しました。経験豊かな組織開発のプロとして，この記事は非常に興味深く，貴社への求職の決意を固めました。

6　賛辞で始める

Because of your fine reputation as a market leader in the field of mobile phones and its excellent reputation as an employer, I am interested in pursuing the possibility of employment.

　貴社は，携帯電話分野のマーケットリーダーとしてのすぐれた評価と，雇用者としての素晴らしい評価を得ておられますので，貴社への就職の可能性を追求いたしたいと存じます。

During my last five years as Sales Representative in the portable phone industry, I have watched your rapid rise to its current position as industry leader. Your company's growth has been quite impressive. I would like to be a part of this growth and I feel that I can further strengthen your market presence.

　携帯電話業界の販売担当としてのこの5年間，業界リーダーの地位への貴社の急速な上昇を見てまいりました。貴社の成長は非常に印象的です。貴社の一員として，その成長に参加いたしたく，貴社のマーケットでの地位を，私はさらに強くすることができると存じます。

Ever since I entered the field of pharmaceutical research in 1992, I have admired the quality of your work in the field of cardiovascular research. As a research scientist with over twenty patents, I would appreciate the opportunity to explore the possibility of a position as a member of your respected research staff.

　1992年に薬剤調査の分野に入って以来，心臓血管の研究分野での貴社の仕事の質に感服してまいりました。20以上の特許をもつ研究科学者として，尊敬を集める貴社研究スタッフのメンバーのポジションに就職できる可能性を探求いたしたく，その機会をいただければ幸いと存じます。

第2章　中間部の文例

1　中間部の書き方

　中間部で経歴や業績を書くには，パラグラフ方式と箇条書き方式とがあります。

　応募資格と求職資格との一致点が少ない場合はパラグラフ方式がベターであり，一致点が多い場合は箇条書きがベターです。

　パラグラフ方式の書き方では，それぞれのパラグラフに，それぞれまとまった情報を盛り込みます。

　箇条書きで書く際には，次に述べる，①箇条書きの導入，②一対一での資格の比較，③英文履歴書の参照，のような書き方があり，その下に，資格に関連する項目を列記します。

　各項目の記載では，次のように，主語のIやbe動詞は省略されるのが通常です。

Created a sophisticated automated records management system.
　　精巧な記録管理システムを作成しました。（Iの省略）

Trained in TQM techniques to develop continuous process improvement in office system.
　　事務所システムの継続的処理改善促進のため，TQM (Total Quality Management) 技術訓練を受けました。（I wasの省略）

① 箇条書きの導入

Let me highlight some of my qualifications:
　　私の資格を要約しますと次のとおりです。

Outlined below are my recent accomplishments:
　　最近の業績の概略は次のとおりです。

Major accomplishments include:
　　主な業績には次のようなものがあります。

Here is a list of my achievements.
　　私の業績のリストは次のとおりです。

Highlights of my background include:
　　私の経歴のハイライトには次のようなものがあります。

Please consider the following achievements:
　　次の業績をご考慮くださるようお願い申し上げます。

② 一対一での資格の比較

　求職先が求める要件をみたす資格が多い場合は，次のように一対一で比較すると効果的です。

My matching qualifications are as follows:
　　貴社のニーズに合致する私の資格は次のとおりです。

There is a compatible match between your needs and my experiences. They include:

　　　Your Needs　　　　　　　　My offerings
　　…………………..　　　　　…………………..
　　………………　　　　　　　………………

貴社のニーズと私の経歴とは合致点があります。それらは次のとおりです。

　　　　貴社のニーズ　　　　　　私の資格
　　　　・・・・・　　　　　　・・・・・・・
　　　　・・・・・　　　　　　・・・・・

③　英文履歴書の参照

As you'll see on the enclosed resume, ……
　　同封レジュメでご覧のように・・・

The enclosed resume will show that:
　　同封レジュメは次の諸点を示します。

My resume, which is enclosed, further details my qualifications.
　　同封しましたレジュメは，より詳しく私の資格を述べています。

As my resume indicates, I possess every one of the qualifications you seek.
　　レジュメに記載のとおり，貴社がお求めの資格のすべてを私はもっています。

Additional successes, innovations, and cost saving stories are detailed on the enclosed resume.
　　それに加えての成功，革新，費用節減の事例は，同封レジュメに詳述されています。

2　文例の種類と表示形式

　中間部の文例は，希望職種の関連，職能の関連，スキルの関連，資質の関連，その他，に分けて載せています。
　叙述式と箇条書き方式，および箇条書き方式のなかでの叙述形式と名詞節形式は，区別せずに並列していますので，ご了承のうえ，ご自分に適した組み合わせでご利用ください。

3　希望職種の関連

● アート・ディレクター

Well versed in both traditional and computer-aided design and production.
　　伝統的手法とCAD (Computer Aided Design) の両方によるデザインと制作に熟練しています。

As a seasoned Art Director, I possess extensive corporate experience, working with many of today's leading firms:
　熟練したアート・ディレクターとして，多くの現在の一流企業と連携して作業し，十分な企業経験をもっています。

● アカウンティング・マネジャー

Management of the division's billing and accounts receivable, accounts payable, and fixed assets.
　部門の請求業務，受取勘定・支払勘定，固定資産の管理。

Annual and semi-annual budgets, monthly profit forecasts and cash flow forecasting.
　年度予算と半期予算，月次利益予想，キャッシュフロー予測。

Managed the accounting, tax, cash management, data processing, risk management, records, payroll and administrative services functions.
　会計，税務，現金管理，データ処理，危機管理，記録，給与，業務サービス業務をマネージしました。

Over four years experience in managing the general ledger and financial reporting, plus consolidate financial statements and foreign currency transactions.
　総勘定元帳と財務報告に加えて連結財務諸表と外貨取引の管理での4年以上の経験。

● アカウント・マネジャー

I have experience in business process redesign, analyzing and recommending business process improvements for our customers.
　顧客に対する，ビジネス・プロセスの再設計，ビジネス・プロセス改善のための分析と勧告の経験をもっています。

● イベント・コーディネーター

Created repeated newspaper publicity generated through press releases and media contracts.
　新聞発表とメディアとの契約をとおし，新聞でのパブリシティを繰りかえし創りました。

● オフィス・アドミニストレーター

Tough contract negotiator on deals with vendors and bankers.
　供給業者や銀行との取引でのタフな交渉者。

Recruited, hired, and developed staff into a motivated, highly productive team.
　スタッフをリクルートして採用し，意欲ある，高度に生産的なチームに育成。

Established office administration for rapidly expanding international companies.
急拡大する国際企業のために事務管理を確立。

● クレジット・マネジャー

Establishment of policies and procedures to improve and maintain a consistent cash flow that ensures the company's stability and profitability.
会社の安定性と収益性を確保する，一貫性のあるキャッシュフローを向上・維持するための方針と手続きの確立。

Continually working on increasing my knowledge and education to keep appraised of the latest trends in the ever-changing world of credit and business.
変転極まりないクレジットとビジネス世界の最新の傾向に遅れぬよう，知識と学識の増進にたえず努力中。

● コピー・ライター

I am an experienced advertising and direct mail copywriter. I can express complex details clearly and convincingly.
熟練した広告とダイレクトメールのコピー・ライターです。複雑な内容を明快かつ説得力をもって表現できます。

I've created quickly and effectively sales tools, direct mail packages, advertisements, and product brochures.

迅速かつ効果的に，販売ツール，ダイレクト・メールのパッケージ，広告，製品パンフレットを創作してまいりました。

● **コンサルタント**

My education, interpersonal talents, and practical experience would prove immensely productive in a consulting environment.

受けた教育，対人関係の手腕と実践的な経験は，コンサルティングの環境に大いに有用と存じます。

My work experience includes providing engineering consulting to engineers and managers. As the supervising engineer, I monitored and evaluated the planning, scheduling and performance of system modifications and tests, and coordinated the development of new programs to improve efficiency

エンジニアやマネジャーに対するエンジニアリングのコンサルティングも経験しています。監督的立場にあるエンジニアとして，システム改良とテストの企画，スケジューリング，および実行を観察・評価し，新規プログラムの開発を調整して，能率向上を図りました。

I have consistently provided state-of-the-art leadership in applying the most recent thinking to major program development. Worked with Senior Vice President to successfully transform key division from traditional management philosophy to a participatory management system.

主要なプログラムの開発に最新の考えを適用することにおいて，たえず最高級の指導力を発揮してきました。上級副社長と共に作業し，重要な部門を，伝統的な経営理念から参加型経営システムに首尾よく変更しました。

● コントローラー

I recently led a corporate-wide cost reduction effort that contributed nearly 30% profit improvement in the last year alone.
　私は最近，昨年一年間だけで30％の利益改善に寄与した，全社的コスト削減努力を指導しました。

My background includes an MBA in Finance from Harvard Business School, coupled with 8 years of increasing management responsibility in the fields of accounting and finance.
　私の経歴は，ハーバード経営大学院での財務専攻 MBA と，8年間にわたり，経理・財務分野で，段々と重要な責任を担ってきたことなどです。

I have logged some significant successes in such important areas as cash flow improvement, debt reduction, improved credit standing, and overall profit enhancement.
　私は，キャッシュフローの改善，負債削減，信用状態の改善，および全般的な利益の増大，のような重要な分野で，かなり重要な成果を記録してまいりました。

● コンピュータ・スペシャリスト

I am exceptionally articulate in a diverse range of hardware and software, client/server technology, systems programming, and database management.

様々なハードウエアやソフトウエア、クライアント/サーバー技術、システム・プログラミング、およびデータベース・マネジメントに、特に明確な知識をもっています。

I have broad manufacturing, engineering, and development background in the computer equipment and office automation industries, coupled with an excellent track record of new product introductions.

コンピュータ機器と OA (Office Automation) 産業での、広範囲にわたる製造、エンジニアリングと開発の経歴と、それに加えて、新製品導入でのすぐれた実績をもっています。

My credentials include an M.S. in Electrical Engineering coupled with over 10 years engineering and electronics product development experience in the computer and related electronics field. My specific accomplishments are well documented on the enclosed resume.

資格は、電気工学専攻の修士とあわせて、10 年以上のコンピュータおよび関連電子分野でのエンジニアリングと、電子製品開発の経験などです。具体的な業績は、同封のレジュメに詳述してあります。

My knowledge of, and experience with, an extensive array of computer technology and highly sophisticated applications enable me to conceive and spearhead a comprehensive range of innovative projects.

広範なコンピュータ技術と，極めて高度なアプリケーションについての知識・経験をもっていますので，広範囲にわたる革新的プロジェクトを着想し，先導することができます。

● セールス・エンジニア

Eight years in sales and electronic technologies have equipped me with the following unique capabilities:
- Strategy development and implementation to promote electronic products and services.
- Proven ability to initiate, maintain, and build ongoing relationships with key accounts to help maximize opportunities for revenue growth.

セールスと電子技術での8年間の経験によって，次のユニークな手腕をもっています。
- 電子製品とサービスのプロモーションのための，戦略開発と実施。
- 主要得意先との関係の開拓，維持，確立により，増収機会の最大化を支援した，実証された能力。

● セールス・マネジャー

My strengths lie in my communication skills, analytical abilities, technical expertise, and ability to build cohesive teams.

私の強みは，コミュニケーション技能，分析能力，技術知識，および，結束性の強いチームを築く能力にあります。

I have good organizational and communication skills, the ability to give customers the pro-active and responsive service that builds long-term customer relationships.

すぐれた組織技能とコミュニケーション技能，顧客との長期的な関係を樹立する，積極的で，打てば響くサービスを顧客に提供する能力をもっております。

Led a cross-cultural team in the development and implementation of a new concept.
- Doubled annual revenues from ¥20 to ¥40 million.
- Increased profitability by 30%.
- Spearheaded the push for new products – result: doubling new product production within three years.

新たな構想の開発と実施とにおいて，異文化のチームを指導。
- 年間売上を2千万円から4千万円に倍増。
- 収益性を3割増。
- 新製品開発を先導－その結果3年間に新製品の生産を倍増。

● ゼネラル・マネジャー

My ratings as manager are consistently high.

マネジャーとしての私に対する評価は一貫して高いです。

Ability to work with diverse groups at all levels of an organization.
組織の全レベルでの多様なグループと共に働く能力。

I lead by example and pride myself in producing cohesive teams, building morale and achieving the results.
例示して指導し，かつ，結束力あるチームを作り，やる気をおこさせ，成果をあげることを誇りとします。

My ability in dealing with employees, management, and outside parties is the strength of my leadership.
従業員，経営管理者，外部の関係者に対応する能力は，私のリーダーシップの強みです。

My ability to be an effective communicator to work with diverse, cross-cultural employees and managers is the strength of my leadership.
多種多様な異文化の従業員とマネジャーと共に働く，効果的なコミュニケーターとしての能力は，私のリーダーシップの強みです。

My strengths lie in leading companies through re-engineering and expansion. I build strong teams that achieve high levels of productivity.
私の強みは，リエンジニアリングと拡大の過程をとおして会社をリードする点にあります。私は高度の生産性を達成する強力なチームをつくります。

I have a proven track record as General Manager, in which we reduced labor costs and increased sales. Our profits advanced 15% while I was there.

　私は労務費を下げて売上を伸ばした，ゼネラル・マネジャーとしての実証された実績をもっています。在職中に収益が15％上昇しました。

I have 10 years of broad based experience, which includes product launches, increasing sales profits, establishing solid financial reporting and forecasting systems, as well as performing business/strategic planning.

　10年間の広範囲な経験をもっています。それはビジネス/戦略企画の遂行に加えて，新製品の導入，売上利益の向上，堅実な財務報告と予測システムの確立などです。

I am experienced in evaluating the performance of staff members at various levels to identify both strengths and weaknesses, assist with the establishment of goals, help design strategies to focus efforts on areas requiring improvement, and develop a person's complete understanding of their contribution to the company's goals as a whole.

　様々なレベルの社員の業績評価に熟達しています。それをとおして，社員の長所・短所を見分け，目標設定を援助し，改善を必要とする分野に焦点を絞る戦略策定を助け，全体としての会社目標への貢献についての完全な理解の育成を行っています。

I believe that team contributions are an effective way to achieve company goals. I understand what motivates each staff member to achieve excellence, set goals and expectation levels for a high degree of proficiency and productivity, and supplement with continual support and leadership to achieve job success.

　チームとしての貢献が会社目標達成のための効果的方法であると信じます。スタッフの各人がすぐれた成果をあげるように動機づけるものは何かを理解しており，高度の熟練と生産性についての目標と期待水準を設定し，仕事の成功に向けて，継続的な支持と指導力で補完します。

● 秘　　書

I possess exceptional interpersonal and written communication skills.
　特にすぐれた対人関係スキルと文書でのコミュニケーション・スキルをもっています。

I served with a sincere desire to make my superior's job easier.
　上司の仕事を楽にするようにとの真剣な願望をもってお仕えしました。

I type at 50 wpm. I would be pleased to take your keyboard and proofreading tests when we meet for an interview.
　タイプのスピードは1分間50語です。面接の際，タイピングと校正のテストを喜んでお受けいたします。

I would be pleased to handle the additional responsibilities of answering telephones, training others in word processing, etc.

追加業務として，電話の応対，ワープロの指導なども，喜んで担当いたします。

In addition, I am bilingual, which may strengthen the service you provide to foreign customers.
　　加えて私はバイリンガルですので，貴社の外国人顧客向けサービスの強化になろうと存じます。

I quickly learn my superior's preferences, your objectives and your goals and do my very best to aid you in the leadership of the company.
　　私は上司の好み，貴殿の方針と目標を機敏に学びます。そして，会社での貴殿の指導力発揮に向けて，最善を尽くします。

While I served as an executive assistant, I have developed the skills that ensure the highest level of competence, time management, and confidentiality.
　　役員秘書としての勤務中に，最高水準の能力，時間管理と秘密保持を確保するスキルを伸ばしました。

As you'll see on the enclosed resume, I am proficient in a variety of word processing programs. I am experienced in handling general office duties and answering phones cordially and courteously.
　　同封のレジュメでご覧のとおり，多種のワープロのプログラムに熟達しています。一般的な事務取扱や，誠意をもっての丁寧な電話応対に習熟しております。

As administrative assistant with your company, you can expect the same skills that my past employers have praised:
- Loyalty and satisfactory service.
- Problem solving abilities.
- Competence with attention to details.
- Proficient computer and office skills.

貴社の秘書として，これまでの雇い主がほめたと同様な，次のようなスキルをご期待いただけます。
- 忠誠心と満足のいくサービス
- 問題解決能力
- 細部に注意できる能力
- 熟達したコンピュータ・スキルと事務能力

● プロジェクト・マネジャー

Skilled at time management, planning, and prioritizing projects.
　時間管理，企画立案とプロジェクトの優先順位づけに熟練。

I have worked independently on major projects and have led project teams.
　主要なプロジェクトを自主的に実施し，プロジェクト・チームを指揮しました。

Capable in planning and budgeting as a project manager with purchasing responsibilities.
　購買の責任をもつプロジェクト・マネジャーとして，企画・予算管理の能力があります。

My technical expertise and skill at coordinating multifaceted projects allow me to offer meaningful benefits to your project teams.
　　技術面の専門知識と多面的プロジェクト調整スキルとにより，貴社のプロジェクト・チームに大きく役立つと存じます。

Extensive project management and budget experience to bring projects in on time and within budget.
　　プロジェクトを予定どおりに，かつ予算内で達成する，広範囲なプロジェクト・マネジメントと予算管理の経験。

Skilled at communication and working with a diverse group of people in building a productive team and achieving goals.
　　生産性の高いチームを組織して目標を達成するにあたっての，様々な人々とのコミュニケーションと協働とに熟達。

Flexible to respond quickly and solve problems when matters need immediate attention.
　　至急手配を要する問題発生の際に，迅速に対応し問題を解決する柔軟性あり。

To summarize my background, I have 10 years experience in extensive engineering project management, proven troubleshooting expertise, and a track record of streamlining process and procedures to reduce costs and increase productivity.
　　経歴を要約しますと，10年間にわたる広範なエンジニアリング・プロジェクト管理の経験，実証されたトラブル・シューテ

ィングの専門知識，工程・手順の合理化による費用削減と生産性向上の実績をもっています。

● プロダクト・マネジャー

My creativity is documented through the award for 10 registered patents and 20 new product introductions.
　私の創造性は，10件の登録済み特許と20件の新製品導入に対する受賞によって立証されています。

My efforts have led to more than ¥100 million annually in new sales contributions. I believe I can make similar contributions to your marketing efforts.
　私の努力により，年間1億円以上の新規売上に貢献しました。貴社のマーケティング活動にも，同様な貢献ができると信じます。

● 放送・通信エンジニア

Recognition as a leading expert in the broadcast area.
　放送分野での一流のエキスパートとしての認知。

Continuously informed of the latest technological innovations, advancements, and equipment development.
　最新の技術革新，進歩，および設備機器の開発につき，たえず熟知。

Years of troubleshooting technical problems including numerous complicated remote transmissions.

　複雑な遠隔伝送を含む多数の技術問題についての，長年のトラブル・シューティング。

● マーケティング・マネジャー

In addition to my marketing savvy and management expertise, I possess a commitment to task, a drive for excellence, and the ability to respond to customer needs.

　マーケティングの豊富な経験とマネジメントの専門知識に加えて，職務完遂の責任感，優秀な成果に向けての意欲，および顧客のニーズに応える能力をもっています。

My major accomplishments include:
- Margins surpassing industry averages by 23%.
- Operations productivity 45% over previous levels.
- Domestic market share growth exceeding 30%.

　主な業績には次のようなものがあります。
- 業界平均を23％超す販売利益。
- 従来の水準を45％上回るオペレーションの生産性。
- 国内マーケット・シェア30％を超える拡大。

For example, in my current position:
- I increased sales 60% by upgrading service efficiency resulting in a 30% annual increase in profitability.

- I streamlined the operation, coordinating every aspect, thus achieving substantial cost reductions, higher efficiency, and increased market share.
- I reduced account receivables, thereby improving cash flow 25%. This released enough working capital to enable the firm to expand into other markets.

　　例えば現在のポジションで,
- サービス効率向上により売上を60%拡大し, その結果, 年間の収益性が30%向上しました。
- オペレーションの合理化と各局面の調整を行い, それによって, 大幅なコスト削減と能率向上を達成し, マーケット・シェアを拡大しました。
- 受取勘定を削減し, それによってキャッシュ・フローを25%改善しました。その結果, 他のマーケットへの会社の展開を可能にするのに十分な運転資金が使えるようになりました。

● メカニカル・エンジニア

A degreed mechanical engineer with more than 8 years project engineering experience, I have earned a solid reputation for consistently completing projects on time and under budget.

　　メカニカル・エンジニアリングの学位と, 8年以上のプロジェクト・エンジニアリングの経験をもち, たえず日程通り, 予算以内でプロジェクトを完成することについて, 確固たる評価を得てまいりました。

● **HR (Human Resources) マネジャー**

As human resources manager, I provide the full range of human resource service to the corporate staff.
　人事部長として，社員に対する全面的な人事面のサービスを提供しております。

Development of reward and recognition programs that reinforce economic value creation.
　経済価値の創造を強化する，報奨と認定プログラムの開発。

Graduate work in HR management with knowledge and experience with HR laws and programs.
　大学院で人材マネジメントを専攻，人事関連法律とプログラムについての知識と経験あり。

My experience include providing new employee benefits' orientation, enrollment in benefits programs and troubleshooting employees' concerns.
　新しい従業員に対する，ベニフィット（手当など）についてのオリエンテーションの提供，ベニフィット計画への登録，および従業員の懸念についてのトラブル・シューティング，などを経験しております。

My qualifications extend beyond management to include research, public speaking, and written communication skills used to enhance productivity, quality, and value among employees.

私の資格は，マネジメントの範囲を超えて，従業員の生産性，品質と価値観を高めるための調査，パブリック・スピーキング，および文書によるコミュニケーション技能を含みます。

Benchmarking and upgrading of pay for performance strategies and measures, in conjunction with other members of the productivity improvement group.

生産性向上グループの他のメンバーとの共同作業による，能力給計画と方策についてのベンチマーキングとアップグレード。

● MIS (Management Information System) マネジャー

I possess the track record, technical knowledge, and expertise to effectively:
- Design, develop, implement, and support all MIS functions.
- Evaluate, recommend, and purchase hardware and software,.
- Manage, develop, and support multi-platform environments.

次の諸項目を効果的に行う，実績，技術知識，および専門技能をもっています。
- すべてのMIS機能の設計，開発，支援。
- ハードウエアとソフトウエアの評価，推薦，購買。
- マルティ・プラットフォーム環境の管理，開発，支援。

My work at a leading architectural design firm expanded my abilities to apply the best that today's computer technology has to offer from the most creative point of view.

　一流建築設計事務所での仕事によって，能力は広がり，今日のコンピュータ技術が提供する最善のものを，最も創造的な観点から適用できます。

● **PR (Public Relations) マネジャー**

Managed media data bank and coordinated mailings for employment organization.

　メディアのデータ・バンクを管理し，職業組織への郵便発送を調整しました。

I have a special expertise in creating events that generate important new business potential while enhancing corporate image.

　企業イメージを高揚しながら，重要な新規ビジネスの可能性を生成するイベントの創造に，特別の専門技能をもっています。

My experience includes designing, planning, preparing, promoting, and running annual meetings, company-wide divisional meetings, trade shows, and seminars.

　年次会議，全社部門会議，トレード・ショーとセミナーの企画，立案，準備，宣伝，運営などを経験しています。

As the company's success depends upon its reputation among a cross section of users, I have worked diligently to secure positive publicity in a wide range of media.

会社の成功は多様なユーザーの評価によりますので，広範囲にわたるメディアでの好評を確保するために，念入りな作業をしてまいりました。

4　職能の関連

● 会　　計

An accounting graduate of Columbia University with over five years of professional experience, I have a solid foundation in both auditing and cost accounting

コロンビア大学で会計学を専攻し，5年以上の職務経験がありますので，監査と原価計算の両方に堅実な基礎をもっています。

I have many of the attributes you are seeking for this position. Please consider the following:
- B.S. in Accounting
- 5 years manufacturing cost accounting experience
- Versed in standard manufacturing cost methodology
- Proficient in use of PC's, Excel, Lotus 1-2-3 and other spreadsheet software

このポジションの候補者として，貴社が求めておられる資格の多くをもっています。次の諸点をご考慮ください。

- 会計学学士。
- 5年間の製造原価計算の経験。
- 標準的な製造原価計算手法に精通。
- 各種パソコン，エクセル，Lotus1-2-3と，その他の表計算に熟達。

● 開　　発

I have led the development and successful introduction of over 30 new projects. These have increased company sales from ¥10 billion to ¥30 billion and increased productivity.

30を超す新規プロジェクトの開発と成功裡の導入を指導しました。その結果，会社の売上は100億円から300億円に増大し，生産性も向上しました。

● カスタマー・サービス

Throughout the 10 years I have spent dealing with the public, I have successfully resolved customer claims and accurately recorded complex product orders with consistent praise from my supervisors.

一般の人々に対応した10年間，顧客のクレームを円満に解決し，複雑な製品の注文を正確に記録して，上司から一貫してほめられてまいりました。

I have learned how to deal with a wide variety of people from the pleasant senior citizen to the impatient executive. In every case, I assess the complaint and study how I can address it most effectively. The vast majority of customers I have served have been pleased with my responsiveness and professional demeanor. More importantly, they have continued to do business with my employer.

　　感じのいいお年寄りから，気短な重役にわたる，広範囲の人々への対応の仕方を学びました。すべてのケースについて，苦情を判断し，効果的な対応の仕方を検討します。扱った大部分の顧客は，私の打てば響くような対応と，プロフェッショナルな態度に満足されました。さらに重要なことは，これらの顧客が勤務先とのビジネスを継続してくれていることです。

● 原価管理

Last year alone, my efforts saved production cost by ¥30 million.
　　昨年だけで，私の努力で原価を３千万円節減しました。

I've had a proven track record of successfully containing costs while increasing productivity.
　　生産性を向上させながらコストを抑える，証明された実績をもっています。

I have assumed a leadership role in the identification of significant cost savings opportunities. Through my cost analysis, I have led cross-functional cost reduction efforts that have saved more than ¥30 million in the last year alone.

重要なコスト削減の機会を発見することで，指導的な役割を果たしてまいりました。コスト分析をとおして，各機能にまたがるコスト削減努力を指導し，それによって昨年１年間だけで，３千万円以上の節減ができました。

● 購　　買

I have an excellent track record in orchestrating major cost reduction and efficiency improvement in various procurement functions.
　　各種の購買機能において，大幅なコスト削減や効率向上を組織化したという，すぐれた実績をもっています。

My forte has been in successfully negotiating major long-term raw materials and vital supplies contracts.
　　強みは，主要な長期原材料ならびに重要補充品の契約に成功していることにあります。

I enjoy a reputation as a high-performing Purchasing Agent, for being a tough but fair negotiator who has made significant cost-savings contribution.
　　タフだが，公正な交渉で重要なコスト削減の寄与をした，成果をあげている購買エージェントとしての評価を得ています。

By centralizing buying and negotiating improved long-term contracts, I have saved over ¥100 million annually, and greatly improved both quality and delivery service.

購買の集中化と長期契約の改善交渉とで，毎年1億円以上節減し，品質と引渡しサービスを大幅に改善しました。

Through my efforts, we have built stronger partnerships with our suppliers, which have led to product improvements that have enhanced our competitiveness.

私の努力により，サプライヤーとより強いパートナーシップを築きあげ，その結果，製品が改善し，競争力が強化されました。

● 在庫管理

Initiation of JIT delivery has substantially reduced inventory investments and freed up nearly ¥100 million in operating capital.

ジャスト・イン・タイム納入の開始により，在庫投資を大幅に削減し，1億円近くの運転資金を自由にしました。

By carefully monitoring sales and industry trends, I significantly improved inventory management, increasing sales and broadening our customer base.

売上と業界動向とを注意深く監視することによって，在庫管理をかなり改善し，売上が増大，顧客ベースが拡大しました。

I have also adapted MIS programs to streamline inventory controls and reporting procedures without increasing expenses.

また，MIS（Management Information System）プログラムを採用して，費用をかけることなく，在庫管理と報告手続きの合理化とを達成しました。

● 人　　事

I enjoy a solid reputation for delivering cost-effective, timely and highest-quality employment results.
　　費用効率が高く，適時に最高級の質の雇用を行うという成果をあげていることに対して，確固たる評価を得ています。

I have managed employment function and established an excellent track record in the successful recruitment of highly productive contributors at the managerial and professional levels.
　　雇用業務を統括し，管理者ならびに専門家層で，極めて生産的な，業績に寄与する人材のリクルートに成功するという，すぐれた業績を確立しました。

I have implemented interviewing and selecting strategies that have substantially improved the company's ability to consistently hire high-performing personnel at all levels.
　　面接ならびに選抜作戦を実施し，すべてのレベルで，高い成果をあげる人材をたえず雇用できるという，会社の能力を大きく向上させました。

● 製　　造

The following accomplishments should provide evidence of my ability to make meaningful contribution to your company:

下記の業績は、貴社に重要な貢献ができる能力をもつ証明になると存じます。

Reengineered manufacturing organization resulting in 30% headcount reduction and annual savings of ¥60 million.

　人員を30％削減し、年間6千万円を節減した、製造組織のリエンジニアリングを実施。

Instituted JIT methods for control of raw materials inventory - ¥100 million annual savings.

　原材料在庫管理方法としてJIT (Just In Time) 方式を実施し、年間1億円を節減。

I have saved nearly ¥200 million through various innovative programs implemented over the last five years. These have included major initiatives in reengineering, TQM, JIT, and product system management.

　過去5年間にわたり実施した各種の革新的プログラムによって2億円近くを節減しました。これらには、リエンジニアリング、TQM (Total Quality Management), JIT (Just In Time) と製品システム・マネジメントにおける、重要な創意を含みます。

I pride myself in staying current in the latest, state-of-the-art developments in the field of operations management and I am firmly committed to the concept of continuous improvement.

　最新のオペレーション・マネジメントの先端技術に通じていることに誇りをもち、継続的向上の考えに強く傾倒しています。

● セールス

I have been personally instrumental in engineering successful promotional programs that produced annual sales over ¥500 million.
　　5億円を超える年間売上を生むという成果をあげた，販売促進プログラムの企画に，個人的に直接に貢献してまいりました。

I have developed strong presentation and sales closing skills that I can put to work immediately.
　　すぐに活用できる，すぐれたプレゼンテーションと商談締結のスキルを伸ばしました。

I have a strong tack record in sales, marketing, and public relations. I attribute my success in sales to my proficiency at building relationships and my dedicated follow-through techniques, in conjunction with my ability to listen and understand client needs.
　　セールス，マーケティング，および広報活動で，すぐれた業績をもっています。セールスでの成功は，顧客の声を聴いてニーズを理解する能力と共に，人間関係を作ることに熟達していることと，熱心にフォロースルーするテクニックによるもの，と考えます。

● ゼネラル・マネジメント

My management style is open and humorous.

私のマネジメント・スタイルはオープンでユーモラスです。

My strengths include: strategic planning, finance, program development and strong communication skills.
　私の強みは，戦略的企画，財務，プログラム開発と，すぐれたコミュニケーション・スキルなどです。

I possess extensive experience, focused expertise, flexibility, adaptability, commitment, and a highly effective management style.
　広範な経験，的を絞った専門知識，柔軟性，順応性，コミットメントと，極めて効果的なマネジメント・スタイルとをもっています。

My success as a manager has been based not only on my excellent technical abilities, but also on the skills I utilize to work effectively with people.
　マネジャーとしての私の成功は，すぐれた技術面での能力のみならず，人々と効果的に働くのに活かすスキルによります。

I feel the trust factor would be rated very high, and further believe that employees feel quite free to seek my counsel on sensitive matters.
　私に対する信頼度はかなり高いと思いますし，従業員はデリケートな問題についても，極めて気楽に私に相談すると信じております。

Ten years coordinating all aspects of workflow, employee supervision, project management and budgets briefly summarizes my background.

 10年間にわたって，仕事の流れ，従業員の監督，プロジェクト・マネジメントと予算のすべての局面を調整してきた，というのが私の職歴の簡単な要約です。

Through hands-on experience at all levels of production and sales, I have developed superior analytical and interpersonal skills, marketing expertise, a perspective and sophistication.

 製造とセールスの，すべてのレベルでの実地の経験をとおして，すぐれた分析能力と対人関係のスキル，マーケティングの専門知識，大局観と高度の知識を伸ばしました。

● 組織開発

I've demonstrated that I have the ability to effectively help people become more productive at their jobs.

 仕事でより生産的になれるように，人々を効果的に助けるという能力をもつことを実証しました。

I believe my work experience combined with a practical classroom education has given me valuable knowledge of today's industry, both academically and professionally.

 実践的なクラス授業と合わせた職務経験は，今日の産業についての貴重な知識を，学問の面と職業の面との両方であたえてくれたと信じます。

I serve as the senior O.D. consultant to the President's staff in change of management, with focus on transforming the organization to a team-based, high-performance work system environment.

　社長の経営担当スタッフに対する上級組織開発コンサルタント（Organizational Development consultant）として勤務しており，チームをベースとした高性能の業務システム環境に，組織を変容させることに焦点をおいております。

● 品質管理

Successful design and implementation of corporate TQM program.
　企業TQMプログラムの企画・実施での成功。

Proven track record in managing a total quality control system.
　TQCの管理における実証された経歴。

Expert in application of TQM statistical methods (e.g., experimental design, variance analysis, regression analysis, etc.)
　TQM統計手法（例えば実験用設計，分散分析，回帰分析など）の適用でのエキスパート。

I feel confident that I can provide the kind of leadership that will ensure the success of your TQM program.
　貴社のTQM計画の成功を確保するような指導力を提供できると確信します。

Designed and delivered 10-course series in TQM methods and statistics to cover 1,000 employees (hourly workers, professionals, and managers and executives).

 1000人の従業員(時間給労働者,専門職,管理職および役員)に対する,TQM手法と統計についての10回のコースを企画・実施。

I have provided overall leadership to a highly successful corporate-wide TQM which is credited with substantial (¥100 million) improvement to business performance this year alone.

 すぐれた成果をおさめた全社的TQMに全般的な指揮をとり,本年度だけでも,相当な(1億円)営業実績の改善を達成したとの評価を得ております。

A M.S. in statistics with over ten years in the field of quality management, I have thorough training in Deming's management principles and am skilled in such statistical methodology as process capability studies, variance analysis, statistical process control, etc

 品質管理分野で10年以上の経験をもつ,統計学専攻の修士で,デミングの経営管理原則について十分な研修を受け,プロセス・ケイパビリティ・スタディ,分散分析,統計的プロセス管理などの統計的手法に習熟しています。

● 調　　査

I currently organize and present my company's analysis and planning workshops. In addition, I present our most recent data at board meetings; generate presentations, graphs, charts, and videos.

　現在，勤務先の分析・企画研究会を組織，主催しております。加えて，役員会で最新データを提示し，プレゼンテーション，グラフ，チャートおよびビデオを作成しています。

My credentials include a M.S. in Statistics and over 10 years research experience. I am thoroughly versed in wide range of statistical methods including: design of experiments, variance analysis, regression analysis, process capability studies, statistical process control, etc.

　私の資格には，統計学専攻の修士や10年以上の調査経験が含まれます。私は広範囲の統計手法に十分に習熟しています。それらは，実験計画，分散分析，回帰分析，プロセス・ケイパビリティ・スタディ，統計的プロセス管理などです。

● データベース・マネジメント

I have extensive computer skills, which enabled me to develop a sophisticated database management system for our various projects.

私は広範なコンピュータ・スキルをもち，それによって，各種プロジェクトのための精巧なデータベース管理システムを開発することができます。

● テクニカル・サポート

I really enjoy the technical support job. I excel at teaching both technical and non-technical employees alike.
　テクニカル・サポート業務が本当に好きで，技術関係の社員と，非技術関係の社員の両者を，同じように教えることにすぐれています。

● プロジェクト・マネジメント

I believe my engineering project management, problem solving, interpersonal and computer skills are assets I would bring to your company.
　エンジニアリング・プロジェクト・マネジメント，問題解決，対人関係，およびコンピュータのスキルは，貴社でお役に立てる私の強みであると信じます。

● プロダクト・マネジメント

I introduced innovative products and procedures that had direct and positive impact on the company's bottom line profitability.

会社の収益性に直接にプラスの効果をあたえた,革新的製品と手順とを導入しました。

● マーケティング

The success of my marketing programs during the last ten years is directly attributable to several talents as follows:
　この10年間のマーケティング・プログラムでの成功は,次の様々な手腕によるものです。

I utilize my strategic planning skills to successfully convert management's business plans into achievable marketing programs.
　戦略的企画立案スキルを活用し,マネジメントのビジネス・プランを,達成可能なマーケティング・プランに変えます。

My contributions to new brands are equally successful. Please consider the following results:
　新規ブランドに対する貢献は,同じように効果をあげましました。次の成果をご考察ください。

Achieved 20% market share penetration for Supreme within one year of introduction.
　Supreme発表後1年以内に,20%のマーケット・シェア獲得を達成。

Completed national campaign of Superb in ten months, achieving 10 % of market.

　Superbの全国キャンペーンを10カ月で終了し，マーケット・シェア10%を達成。

I maximize my financial controls experience to ensure that those same marketing programs are firmly grounded in business reality.

　財務管理の経験を最大に使って，それらの同じマーケティング・プログラムが，確実にビジネスの実態にもとづくように，保証します。

Through strict adherence to a process of TQM, all marketing programs managed by my department are completed on time, within budget.

　TQMプロセスを厳密に守ることで，私の部で管理されるすべてのマーケティング・プログラムは，日程どおり，予算以内で完了しています。

I hold an M.B.A. in Marketing and a B.S. in Mechanical Engineering. My background includes nearly thirteen years in marketing and sales management.

　マーケティングのMBAで，機械工学の学士です。マーケティングとセールス・マネジメントでの，13年間近くの経験などをもっています。

My credentials include an MBA in Marketing from Harvard Business School, plus ten years of successful experience in both marketing and market research.

　私の資格には，ハーバード経営大学院マーケティング MBA に加えて，10年間にわたるマーケティングとマーケット・リサーチ両面での，成功経験が含まれます。

● 労務管理

I hold an M.S. in Industrial Relations and have major company experience as a generalist.

　私は労務管理の修士で，大手企業でのジェネラリストとしての経験をもっています。

● ロジスティクス

I have an MBA in Industrial Management and an undergraduate degree in Industrial Engineering. My professional experience includes over 10 years in logistics-related areas, including over 5 years in procurement management.

　工業経営の MBA と生産工学の学士です。職歴は，ロジスティクス関連分野での10年以上の経験を含み，そのうち5年以上は，購買管理です。

● M＆Aコンサルティング

A Harvard MBA with over six years acquisition analysis experience, I have provided comprehensive financial analysis of over 20 acquisition candidates in seven different industries.

　6年以上の企業買収分析の経験をもつ,ハーバードMBAです。7つの異なる産業分野で,20社を超す買収候補企業についての詳細な財務分析を行いました。

All companies acquired through my evaluation and recommendation have been profitable and all acquisition targets were successfully acquired at an average of 1.5 times net profit, I played a key role in formulating negotiation strategy.

　評価し推薦した案件で合併/吸収した会社は,すべて収益をあげており,すべての合併/吸収ターゲットは,平均して純益の1.5倍での獲得に成功しました。交渉戦略策定に,私は重要な役割を果たしました。

5　スキルの関連

● 語学力

With my fluency in English and Standard Chinese, I can help businesses operating in today's global marketplace acquire a broader customer base.
　英語と標準中国語に熟達していますので，今日のグローバル・マーケットで活動している企業が，より広い顧客ベースを獲得するのに，お役に立てると存じます。

I am fluent in English, with fair skill in French, having been raised abroad. These language abilities will help me in dealing with international customers and prospects, as will my familiarity with foreign customs and protocol.
　私は海外で育ちましたので，英語に熟達し，フランス語はかなりできます。これらの語学力は，国際的な顧客および見込み客との対応に役立ち，また外国の習慣や礼儀作法に精通していることも，同様に役立つと存じます。

● コミュニケーション・スキル

Excellent communication and interpersonal skills.
　すぐれたコミュニケーション・スキルと対人関係スキル。

I am confident that creativity, communication skills, and crisis management abilities I possess will prove invaluable to you company.

　　私がもつ創造性，コミュニケーション・スキル，および危機管理能力は，貴社にとって極めて有益と確信します。

My superiors and professors have regularly praised my written and verbal communication skills. My excellent communication skills have added to my success in dealing effectively with a diverse and international clientele.

　　上司ならびに教授は，私の文書および口頭でのコミュニケーション・スキルを何時もほめてくれました。私のすぐれたコミュニケーション・スキルは，多彩な国際的顧客に効率的に対応するのに役立ってまいりました。

My exceptional interpersonal and communication skills will be key to the development of the office. As seasoned veteran in the field, I recognize the need to clearly communicate with employees and clientele.

　　私の特にすぐれた対人関係スキルとコミュニケーション・スキルは，貴事務所の成長のキーになるでしょう。この分野での経験豊かなベテランとして，従業員および顧客と明瞭にコミュニケートする必要を認識しています。

● 対人関係スキル

I work well with others and enjoy assuming additional responsibility.

　　他人と共によく働き，追加される責任を喜んで引き受けます。

I can work effectively on my own while contributing fresh ideas to the team.
　新鮮なアイディアをチームに提供しながら，独自の立場で効果的に働けます。

I am known for being outgoing and personable in my approach.
　社交的で，接触の仕方に好感がもてる，ということで知られています。

I am comfortable delivering presentations to a group, working as part of a team and helping others succeed.
　グループに気楽にプレゼンテーションができ，チームの一員として働き，また他人の成功を助けます。

I have excellent rapport with employees, and believe they would describe me as both open and honest.
　従業員と極めて親密な関係にあり，彼等は私がオープンで正直であると評すると信じます。

I am comfortable working and living in international settings, having spent a portion of my childhood in Europe, studied abroad, and completed internships in USA.
　幼少時代の一時期を欧州で過ごし，海外で学んで，米国でインターンシップを終えたので，国際的環境で快適に働き，生活することができます。

● PCスキル

Strong PC and mainframe computer experience with expertise utilizing Windows 98.
　PCと大型コンピュータでの十分な経験と，Windows 98活用の専門知識。

Proficient in use of PC's, Excel, Lotus 1-2-3 and other spreadsheet software
　各種PC，エクセル，Lotus 1-2-3，およびその他の表計算ソフトウエアの使用に熟達。

● その他のスキル

I can find new business opportunities in an adverse economy.
　不利な経済状況において，新たなビジネス・チャンスを発見できます。

I hope you'll agree that your needs and my capabilities are a perfect match.
　貴社のご要求と私の能力とは完全に合致している，ということに同意されると期待いたします。

I know my resourcefulness has repeatedly benefited my employers in the past.
　私の臨機応変の才能は，これまでに繰り返し雇い主に役立ったと理解しています。

Together, my education and experience equip me to quickly grasp the intricacies of the business world.

　受けた教育と職歴とによって，ビジネス世界の複雑さを迅速に把握することができます。

I have an unusual talent for turning challenges into solutions that can yield profitable results.

　挑戦を有利な結果を生みだす解決に変えるという，特別の才能をもっています。

I can work effectively on my own while contributing fresh ideas to the team.

　チームに新鮮なアイディアを貢献しながら，独力で効果的に働けます。

To achieve the goals, I combined an ability to plan, to creatively visualize solutions, and to successfully implement them with my talent in dealing with people.

　目的達成のために，立案し，解決案を創造的に描き，対人折衝の手腕によりそれらの解決案を効果的に実施する，という能力を組み合わせました。

My talents allow me to apply my knowledge to the ways in which I can most directly contribute to your profitability and performance

　貴社の収益性と業績に最も直接的に貢献できる方法に，知識を活用する手腕をもっています。

6　資質の関連

● 総　　合

I have the patience to see an assignment through to completion.
　　任務を完了するまで見届ける忍耐力をもっています。

I enjoy challenges and using my analytical and organizational skills to aid my employer in rapid business expansion.
　　挑戦に立ち向かい，分析技能と組織技能を活かして，勤務先の急速な事業拡大を助けるのが好きです。

What my resume does not describe is my character. I am a generator of creative ideas, and a self-starter.
　　英文履歴書が明らかにしないのは性格です。私は，創造的アイディアを生みだし，率先的に仕事を行います。

I am a hard worker and a team player. I have the knowledge, skill, and desire to enhance the success of the company.
　　努力家でチームプレーヤーです。会社の成功を促進する知識，スキルと願望とをもっています。

I am assertive, diligent, driven, and hardworking. I am a seeker of end results and I achieve them, as the enclosed overview of my accomplishments proves.

自分の意見を明確に述べ，勤勉，かつ意欲的で，努力家です。同封の業績概要（英文履歴書）が示すとおり，最終結果を追求し，それらを達成します。

My resume does not reveal my professional demeanor and appearance. In a business environment, these qualities are of the utmost importance in dealing with clients as well as co-workers.

英文履歴書は，私のプロとしての物腰や容姿を表わしません。これらの特性は，ビジネスの環境において，同僚はもとより，顧客との対応において極めて重要です。

My resume cannot illustrate my penchant for organization, my eye for detail, my positive and personable nature, and my ability to perform even in the environment of a fast paced, fast growing international firm.

英文履歴書は，組織化志向，細部への注意力，積極的で好感がもてる気質，ペースの速い急成長する国際企業の環境でも業務を遂行できる能力，を説明できません。

You'll discover, in me, a reliable, detail-oriented and extremely hard-working associate -- one who will serve as a model to encourage other staff members to demonstrate the same high standard of professionalism.

私が，信頼できて細部も重視する極めて勤勉な仲間，すなわち，他のスタッフが同様な高水準のプロ意識を示すように促す模範となる人物であることが，お分かりになるでしょう。

My reputation is that of a solid, strategic thinker who digests complex information and builds coherent, actionable structure from that information, and then proceeds to get the job done.

 私に対する評価は，堅実な戦略的思考家であって，複雑な情報を咀嚼し，その情報から整合的で実行可能な体系を組織し，そのうえで仕事の完遂に向けて進む人物，ということです。

● 意　　欲

I am motivated and enthusiastic.

 やる気があり熱心です。

I am a person who embraces the ideas of respect and candor.

 尊敬と率直の理念を信奉します。

I am willing to tackle and accomplish any project.

 どのようなプロジェクトにも，喜んで取り組み，それを達成いたします。

I am goal-oriented, driven, and not afraid of hard work.

 目的志向で，やる気があり，困難な仕事もおそれません。

I believe my determination to achieve will prove to be an asset to your company.

 仕事の成就に向けての決意は，貴社のお役に立つと信じます。

I am ambitious, self-disciplined, and work well under pressure without constant supervision.
　意欲的で自制力があり，また，仕事に追われた状態で，不断の監督なしに，立派に作業ができます。

● 評　　価

Consistently received high evaluation from participants.
　参加者から一貫して高い評価を受けました。

Previous employers have called me "meticulous", "conscientious", and "dependable."
　これまでの雇い主は，私を「綿密」，「誠実」で「信頼できる」と称しました。

I have been consistently rated at the 'excellent' level, and can furnish strong references.
　一貫して「優秀」のレベルで評価されており，有力な推薦状を提供できます。

I am noted for being unusually hard working, and enjoy an excellent reputation for the timeliness and accuracy of my work.
　非常に勤勉であるとして知られ，また，仕事を時間どおり正確に行うとの，すぐれた評判を得ております。

Throughout my career, I have received consistent praise from my superiors and have enjoyed the support of co-workers, many of whom have offered to serve as references for me.

職歴をとおして，たえず上司からほめられ，同僚の支持を得てまいりました。これらの人々の多くは，信用照会先になろうと申しでてくれています。

7 その他

I would welcome the challenge of undertaking a similar effort at your company.

貴社で同様な努力をすることに挑戦できれば嬉しいです。

I would appreciate the opportunity to contribute to your firm's success.

貴社の成功に貢献できる機会がればありがたいです。

I thrive and deliver in a demanding, and fast-paced environment.

厳しくテンポの速い環境で，元気に職務を果たします。

Many of my positions have involved numerous responsibilities above and beyond the standard job description.

担当した多くのポジションでは，職務記述書の内容を上回る職責をともなっていました。

The benefit of working for a small firm is that I had the opportunity to handle a wide range of responsibilities.

小規模の会社で働く利点は，広範囲な職務を扱う機会があったということです。

These achievements are certain to prove both valuable in and transferable to a wide range of firms.
　　これらの業績は，広範囲にわたる会社にとって，貴重なものであり，同様に達成可能であることは確かです。

My ability to work productively with others, drive to excel, and unique cultural perspective equip me to become a valuable member of your organization.
　　他人と生産的に働く能力，卓越への意欲と独特の文化的視野により，貴社の貴重なメンバーになりうると存じます。

I am an industrious worker who takes interest in my work and pride in my performance.
　　仕事に対する関心と，実績についての誇りをもつ，精励恪勤な働き者です。

I also possess an active sense of humor, which has been useful in defusing difficult situations.
　　また，困難な状況を和らげるのに有用であった，ユーモア感覚をもっています。

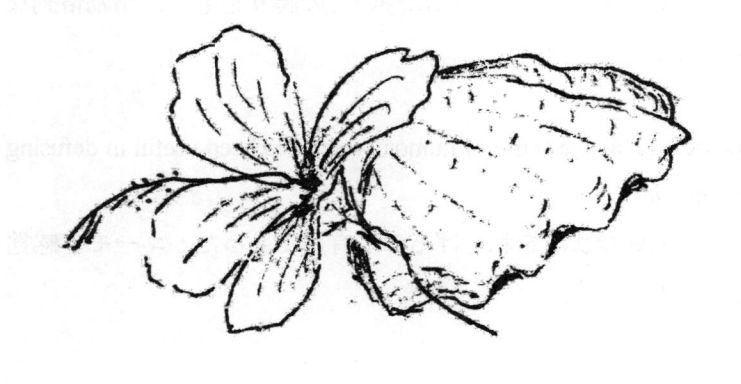

第3章　結びの文例

1　面接の希望を述べる

I look forward to meeting you.
　　お会いできますことを期待しております。

I look forward to meeting you personally.
　　親しくお目にかかりたいと楽しみにしております。

Looking forward to meeting you, I am.
　　お会いできることを鶴首いたしております。

I am anxious to pursue this opportunity and to meet you in person.
　　この機会を追求し，貴殿と親しくお目にかかれることを切望いたします。

I look forward to the opportunity of meeting you to discuss my background in further detail.
　　経歴について，さらに詳しくお話し合いいたしたく，お目にかかれる機会を期待いたします。

I would appreciate the opportunity to meet with your representative to discuss possible career opportunities.

貴社に就職する可能性についてお話し合いのため，ご担当の方とお会いできる機会があれば幸いです。

I would welcome the opportunity to explore how my skills meet your specific needs.

貴社の具体的なニーズに私のスキルが応えられるかについて，探求する機会があれば幸いと存じます。

May I further discuss your requirements during a personal meeting with you or one of your representatives?

貴殿またはご担当の方にお目にかかり，応募資格について更にお話し合いできないでしょうか？

I am anxious to set up a meeting with you to discuss in greater detail your position and my qualifications.

貴社のポジションと私の資格について，より詳細にお話し合いをするために，面接の機会をもつことを切望いたします。

I would be very pleased in discussing this position with you further. I look forward to discussing how I can become a valuable asset and contributor for your organization.

このポジションについてお話し合いできれば大変嬉しいです。どうすれば貴社の貴重な財産として貢献できるかという点について，お話し合いできますことを期待いたします。

I feel that I am an excellent match for your requirements, and would welcome the chance to further explore this opportunity with you directly.

　　貴社の応募資格に私は非常によく合っていると思います。直接お目にかかって，この可能性をさらに探求する機会をいただければ幸いです。

I would be very pleased to discuss your requirements in greater detail during a personal interview, and hope that I will have the opportunity to do so.

　　貴社のご要件につき，面接でより詳しくお話し合いいたしたく，そのような機会をおあたえくだされば幸いと存じます。

I am quite interested in the position you advertised, and would welcome the chance to further explore this opportunity during a personal interview.

　　広告のポジションに非常に興味があります。面接の際に就職の可能性をさらに探求いたしたいと存じます。

2　求職先にアポイントの連絡をする

I will contact you next week to schedule an appointment.

　　アポイント取り決めのため，来週ご連絡いたします。

I would be pleased to come in for a personal meeting. I will call you shortly to set up an appointment.

　　喜んで面接に参上いたします。アポイント取り決めのために，近くご連絡をさしあげます。

I will contact you in a few days to set up an appointment that fits into your schedule.
　　貴殿のご都合に合わせて面接の予定を取り決めたく，一両日中にご連絡いたします。

I would be honored if you could spare some time to speak with me. I will call you shortly to see when we might meet.
　　お話し合いの機会をおあたえいただければ光栄です。何時お目にかかれるかお尋ねいたしたく，近くお電話をさしあげます。

I will contact you soon to see whether we might meet. Or you may reach me at (0557) 54-xxxx
　　面接のご都合について近くご連絡いたします。あるいは（0557）54-xxxx にお電話いただいても結構です。

3　求職先からアポイントの連絡を待つ

I look forward to hearing from you.
　　ご連絡をお待ちいたします。

I am anxious to meet with you as soon as possible.
　　なるべく早くお会いしたいと切望いたします。

I would like an opportunity to meet and discuss the openings further.
　　ポジションの空きについて，お目にかかって，更にお話し合いの機会があればと存じます。

I look forward to hearing from you so that we can schedule a meeting.

　面接のお打ち合わせができますよう，ご連絡をお待ち申し上げます。

I can be reached at 03-3214-xxxx during the day and 047-468-xxxx during evenings and weekends. I look forward to hearing from you.

　昼間は 03-3214-xxxx で，夜間と週末は 047-468-xxxx で，ご連絡をお受けできます。お電話をお待ちいたします。

If you would be kind enough to contact me at my home number, I will be pleased to schedule an appointment to discuss the matter in person.

　大変恐縮ですが，自宅の方にご連絡いただければ，直接お目にかかってお話しできますよう，面接のお打ち合わせをさせていただきたいと存じます。

It would be an honor to meet with you. Please contact me at the address or phone number listed above. I will make myself available at your convenience.

　お目にかかれれば光栄です。上記の住所か電話番号にご連絡ください。貴方のご都合に合わせるようにいたします。

If you will contact me at 043-456-xxxx day or night, I will be pleased to visit your office whenever your schedule permits. I look forward to meeting you.

昼夜を問わず(043) 456-xxxx にご連絡いただければ，ご都合よろしい時に，何時でも事務所にまいります。お会いできる機会をお待ちいたします。

4　秘密保持について依頼する

Your discretion in contacting me is most appreciated.
　ご連絡いただく際は慎重にお願いいたします。

You can reach me during the day, on a confidential basis, at 03-2345-xxxx.
　昼間 03-2345-xxxx で，内々にご連絡をお受けできます。

I can be reached at 043-9753-xxxx during business hours (discretion please).
　勤務時間中，043-9753-xxxx でご連絡いただけます。（内々でお願いします）

If you would call, with discretion, at 03-7456-xxxx, I would be happy to meet with you.
　　03-7456-xxxx に慎重にお電話いただければ，喜んでお目にかかります。

I would greatly appreciate your professional courtesy in refraining from contacting my present employer.
　現在の雇い主にはご連絡されないよう，よろしくご配慮お願い申し上げます。

I can be confidentially reached during the day at 03-1234-xxxx or at 047-484-xxxx during the evening.

　昼間は内々に 03-1234-xxxx で，夜間は 047-484-xxxx でご連絡いただけます。

5　給料についての質問に応じる

I would appreciate the opportunity to meet with you, at which time we could discuss salary in greater depth.

　お会いできる機会をいただければありがたく，その際に給与について詳しくお話し合いいたしたいと存じます。

I would like to discuss my background with you in a personal meeting, at which time I would be happy to detail my salary history and expectations.

　親しくお目にかかって私の経歴についてお話しいたしたく，その際に，これまでの給与と期待とについて申し上げたいと存じます。

6　お礼の言葉を述べる

Thank you for your consideration.

　ご考慮いただき，ありがとうございます。

Thank you for your time and consideration.

　お忙しいなか，ご考慮いただき，ありがとうございます。

M. T.

あとがき

　本書の出版にあたっては，多くの方々にお世話になりました。
　まず，参考にさせていただいた Cover Letter の解説書（第1部の3ページに掲載）6冊の著者に感謝いたします。
　次に，ウエブページ「英文履歴書コンサルタント Resume Pro レジュメプロ」で，カバーレターのコンサルティング・作成代行をさせていただいた方々に心から感謝いたします。多種多様なケースについて，貴重な経験をさせていただいたうえに，一部の方には実際に使われたカバーレターを文例として掲載することについて，ご快諾をいただきました。
　税務経理協会の峯村英治次長には，『英文履歴書ハンドブック』と『英文履歴書文例集』に続いてお世話になりました。また同協会の竹内淑夫氏と千葉経済大学の榎田豊氏からも温かいサポートをいただきました。厚くお礼を申し上げます。

　2000年7月吉日

寺澤　惠

著者紹介

- 【主な経歴】 一橋大学卒業，米国コロンビア大学経営大学院留学。米国三井物産副社長。産能大学教務部長，千葉経済大学教授。ソニー株式会社社員研修「ビジネス英語」講師。
- 【現　　職】 英文履歴書コンサルタント「レジュメ プロ」代表。
  ウェブページ
  http://plaza10.mbn.or.jp/~resume
  http://member.nifty.ne.jp/resume
- 【所属学会】 日本英学史学会
- 【関連著書】 『英文履歴書ハンドブック』『英文履歴書文例集』（共に税務経理協会）『職務経歴書の書き方・活かし方』（産能大学出版部）
- 【関連論文】 「求職書類としての Resume」「求職書類としての Curriculum Vitae」「英文履歴書の呼称としての Personal History」など。
- 【関連事項】 就職情報雑誌の英文履歴書・職務経歴書・添え状記事監修。

著者との契約により検印省略

平成12年9月1日　初版第1刷発行

英文履歴書のカバーレター（レジュメ）

著　者	寺澤　惠（てらざわ めぐむ）
発行者	大　坪　嘉　春
印刷所	税 経 印 刷 株 式 会 社
製本所	三 光 社 製 本 所

発行所　東京都新宿区下落合2丁目5番13号　株式会社 税務経理協会
郵便番号 161-0333　振替 00190-2-187408　電話 (03) 3953-3301（編集）
　　　　　　　　　　FAX (03) 3565-3391　　　 (03) 3953-3325（営業）
URL　http://www.zeikei.co.jp/

© 寺澤　惠 2000　　乱丁・落丁の場合はお取替えいたします。

本書の内容の一部又は全部を無断で複写複製（コピー）することは、法律で認められた場合を除き、著者及び出版社の権利侵害となりますので、コピーの必要がある場合は、予め当社あて許諾を求めて下さい。

Printed in Japan

ISBN4-419-03660-5　C2034

計画シリーズ案内

社内標準化計画の立て方	小浦　孝三著	四六・1,236円（〒310）
品質計画の立て方	水野　滋／水野紀一 共著	四六・未刊
生産計画の立て方	高仲　顕著	四六・1,648円（〒310）
販売計画の立て方	鈴木　啓允著	四六・1,442円（〒310）
利益計画の立て方	河野豊弘／小山明宏 共著	四六・1,500円（〒310）
オフコン導入計画の立て方	船本辰雄／吉原泰和 共著	四六・1,648円（〒310）
採用・活用・教育計画の立て方	魚津　欣司著	四六・1,442円（〒310）
組織計画の立て方	幸田一男／新田義則 共著	四六・1,236円（〒310）
在庫・購買計画の立て方	南川　利雄著	四六・1,442円（〒310）
プロジェクト計画の立て方	井上　富雄著	四六・未刊
ディーラー指導計画の立て方	石尾　登／北見拓美 共著	四六・1,442円（〒310）
情報戦略計画の立て方	栗山　民毅著	四六・1,442円（〒310）
ロボット導入計画の立て方	坪内　貞利著	四六・1,442円（〒310）
事務合理化計画の立て方	高原　真著	四六・1,648円（〒310）
監査計画の立て方	今井　泰信著	四六・1,854円（〒310）

品切れ・改訂・定価変更の場合もありますのでご了承下さい。
◎各金額は消費税（5％）込みの定価です。

税務経理協会

問題解決策シリーズ案内

品 質 部 課 長 の 職 務	武藤　時宗著	四六・1,260円(〒310)
原 価 部 課 長 の 職 務	島田　信愛著	四六・1,470円(〒310)
財務・経理部課長の職務	金井　澄雄著	四六・1,325円(〒310)
生 産 部 課 長 の 職 務	倉持　茂著	四六・1,732円(〒310)
購買・資材部課長の職務 改訂版	堀内　栄一著	四六・1,631円(〒310)
新製品開発部課長の職務	中山　正和著	四六・1,260円(〒310)
販 売 部 課 長 の 職 務	中村卯一郎著	四六・1,260円(〒310)
販 促 部 課 長 の 職 務	渡邊　廣著	四六・　未刊
人事・労務部課長の職務	鎌田　勝著	四六・1,260円(〒310)
総 務 部 課 長 の 職 務	堀野不二生著	四六・1,275円(〒310)
秘 書 部 課 長 の 職 務	夏目　通利著	四六・1,260円(〒310)
物流・倉庫部課長の職務	唐沢　豊著	四六・1,680円(〒310)
情報・企画部課長の職務	島田　清一著	四六・1,470円(〒310)
保 全 部 課 長 の 職 務	日比　宗平著	四六・1,260円(〒310)
電 算 部 課 長 の 職 務	清田　進著	四六・　未刊

品切れ・改訂・定価変更の場合もありますのでご了承下さい。
◎各金額は消費税（5％）込みの定価です。

ビジネス書

危険な会社がいっぱい	関根　宏而著	四六・1,260円（〒310）
危険な会社のかわし方	関根　宏而著	四六・1,260円（〒310）
詐欺の手口とその防ぎ方 改訂版	関根　宏而著	四六・1,631円（〒310）
名刺診断による 危険な会社の見ぬき方	関根　宏而著	四六・1,529円（〒310）
危ない手形の危ない話	関根　宏而著	四六・1,427円（〒310）
英文履歴書ハンドブック	寺澤　恵著	四六・1,427円（〒310）
ビジネス英文マニュアル	武上幸之助著	Ａ５・2,243円（〒310）
いちばんやさしい 契約書の見方・作り方 改訂版	野口　恵三著	四六・1,470円（〒310）
感性のたがも －感性を豊かにする108の生活術	高坂　美紀著	四六・1,260円（〒310）
オフィス・コミュニケーションのススメ	原　加賀子著	四六・1,733円（〒310）
フレッシュレディ常識集	白沢　節子著	四六・1,529円（〒310）
笑顔のつくり方	山崎　美恵著	四六・1,223円（〒310）
公益法人ハンドブック 三訂版	実藤　秀志著	Ａ５・2,625円（〒310）
医療法人ハンドブック 三訂版	実藤　秀志著	Ａ５・2,520円（〒310）
宗教法人ハンドブック 三訂版	実藤　秀志著	Ａ５・1,890円（〒310）

品切れ・改訂・定価変更の場合もありますのでご了承下さい。
◎各金額は消費税（５％）込みの定価です。